Peter

POKER
pour
débutants

Marabout

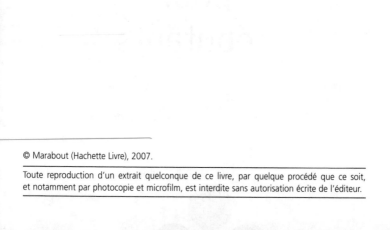

Sommaire

Introduction

L'innocent : « Le poker ? C'est ce jeu
où l'on reçoit 5 cartes ? Et si on en a
2 pareilles c'est vraiment bien, et 3
pareilles c'est encore mieux ? »
L'arnaqueur : « Oh ! vous apprendrez
vite à y jouer. »
W.C. Fields, *Passez Muscade*

*Draw ou stud, texas hold'em ou omaha – ou l'une de leurs
variantes –, le poker est devenu, quelle qu'en soit la forme,
l'un des jeux de cartes les plus populaires tant au casino
qu'entre amis.*

Un peu d'histoire

Le *as-nas* est un jeu persan qui passe souvent pour être l'ancêtre du poker.
On y jouait avec un jeu spécifique de 20 ou 25 cartes, selon qu'il y avait
quatre ou cinq joueurs. Chaque joueur recevait 5 cartes et les mises étaient
les mêmes qu'au poker. La main gagnante était celle qui se composait du
plus grand nombre de cartes de même valeur.
Le poque, jeu français dont les règles étaient très proches de la bouillotte
(voir l'explication de ce jeu dans l'encadré p. 6) et du *as-nas*, est probable-

ment à l'origine du mot « poker ». En effet, le mot « poker » a été mentionné pour la première fois à La Nouvelle-Orléans, ville qui appartenait à la France avant d'être vendue aux États-Unis par Napoléon en 1803 pour 15 millions de dollars.

Les origines

Le poker est né en Amérique. Il n'y est pas apparu tel quel du jour au lendemain, mais s'est nourri d'emprunts faits à de nombreux autres jeux de cartes, notamment à celui de la bouillotte, un jeu français du XIXe siècle qui dérivait lui-même du brelan. La bouillotte se jouait à quatre joueurs avec un jeu de 20 cartes (A, R, D, 9, 8 dans quatre couleurs). Chaque joueur recevait 3 cartes, puis le donneur disposait sur la table une treizième carte ouverte : une carte commune que chacun pouvait utiliser. Les joueurs misaient de la même façon qu'au poker, mais les mains se composaient exclusivement de carrés, de brelans et de paires. La main la plus haute remportait le pot*, un carré ou un brelan (avec ou sans carte ouverte) rapportait un bonus versé par les autres joueurs.

Plusieurs livres mentionnent pour la première fois le mot poker en 1836. à l'époque, c'est un jeu de 20 cartes (A, R, D, V, 10 de chaque couleur) où toutes les cartes sont distribuées à quatre joueurs. Les mains étaient, par valeur décroissante : carré*, full* (c'est-à-dire A-R-D-V-10), brelan, double paire et paire. Le carré d'as était la main la plus haute et n'avait pas d'équivalent, contrairement au poker actuel où la main la plus haute est la quinte* flush royale*, qui peut exister dans chacune des quatre couleurs. C'est ce qu'on appelait « le flat poker. »

Les règles locales

Nulle histoire n'est plus parlante que celle de l'étranger qui joue au poker dans un bouge mal famé. Quelle n'est pas sa surprise quand, alors qu'il abat un full, un joueur du coin s'empare du pot grâce à une étrange combinaison de cartes, dont le 10 est la plus haute. « Selon nos règles, dit-il, un lollapalooza rafle la mise. » Quelques tours plus tard, l'étranger abat une main identique et doit s'incliner devant une paire de dames. Quand il demande pourquoi, il s'entend répondre : « Un seul lollapalooza par soir. »

Le poker n'a pas tardé ensuite à se jouer avec un jeu de 52 cartes et à s'appeler pour un temps « le bluff », puisqu'en 1850 le jeu de 20 cartes était déjà dépassé. Avec 52 cartes, la couleur devient une main à part entière, suivie peu après par la quinte, le full, la quinte flush* et la quinte flush royale. Bizarrement, il a fallu du temps pour que la valeur d'une couleur soit universellement reconnue, car certains joueurs la considéraient comme inférieure au brelan.

Les variantes

Un jeu de 52 cartes permet aux joueurs d'améliorer leurs mains en écartant une ou plusieurs cartes s'ils le souhaitent. Le « tirage » (draw*) devient alors un élément du jeu – d'où le nom de « draw poker » ou « poker à tirage ». En 1865, un Américain mentionne le stud, un poker qui aurait été lancé par des cow-boys en Ohio, Indiana et Illinois. Plusieurs variantes – dont le spit ou le jackpot – n'ont ensuite pas tardé à voir le jour. C'est cette diversité même qui a rendu difficile la mise au point de règles « officielles ».

L'ascension sociale

Si le poker s'est imposé en une quarantaine d'années, il s'est aussi répandu dans toutes les classes de la société. Né au début du xixe siècle dans les saloons et généralement associé dès l'origine aux tricheurs et autres escrocs en tous genres prêts à gagner de l'argent facilement – les passagers des célèbres bateaux du Mississippi devenant la proie des joueurs professionnels –, le poker gagna progressivement en respectabilité et, à la fin de ce même siècle, avait pénétré tous les milieux où on y jouait chez soi et entre amis.

Aujourd'hui, on joue surtout au poker dans les casinos et les clubs, et certaines parties entre spécialistes bénéficient d'une grande publicité et d'une vaste audience. Depuis le milieu des années 1980, la télévision américaine retransmet les World Series of Poker. En 1999, la retransmission d'un événement similaire par la chaîne britannique Channel 4 a remporté un vif succès et a été renouvelée depuis. Vieux aujourd'hui de deux siècles, le poker n'a jamais été aussi populaire.

La main* du mort

Cette main reste à jamais liée à la tragique histoire de Wild Bill Hickock, dont l'erreur fatale fut de jouer au poker sans s'être assis dos au mur dans un saloon de Deadwood en 1876. Redoutant que Hickock ne fût nommé shérif de Deadwood et ne mît un peu trop d'ordre, des joueurs véreux engagèrent Jackie « Crooked Nose » McCall, un joueur tout aussi « véreux » (crooked), pour tuer Hickock. McCall entra et abattit Wild Bill d'une balle dans la nuque avec un colt 45. Bill mourut cramponné à sa main qui se composait de deux as et de deux 8 (tous noirs, dit-on) plus la reine ou le valet de carreau. Depuis ce jour, la double paire as et 8 s'appelle « la main du mort » (dead man's hand).

Comment utiliser cet ouvrage

Les jetons*

Les enchères et les antes* sont représentés par des cercles ; les chiffres représentent le nombre de jetons.

Les jetons blancs représentent les mises des tours précédents.

Les jetons gris foncé représentent les mises du tour en cours.

Les jetons gris clair représentent le pot parallèle au stud poker.

Les cartes...

...visibles mais en pointillé sont celles du joueur, celles retournées et invisibles aussi.

Les joueurs...

...en noir sont ceux qui ont passé.

Le vocabulaire

Actuellement de plus en plus de termes anglais étant utilisés, nous en avons volontairement conservé certains : cartes wild (cartes frimes), checker (dire parole), blind (enchérir), tight (joueur serré), loose (joueur lâche), le kicker (les acolytes).

Comme vous l'aurez déjà remarqué, certains termes techniques nécessitant une explication sont suivis d'une astérisque la première fois qu'ils sont employés.
Pour en connaître le sens, reportez-vous au glossaire p. 157.

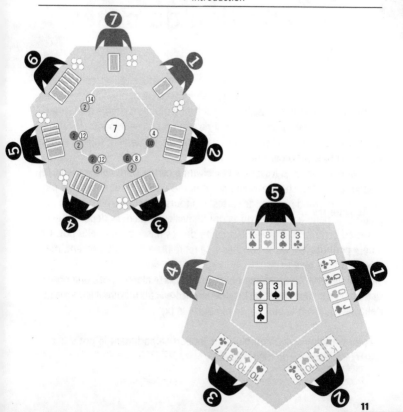

Présentation du poker

Le but du jeu

Le but du jeu est de gagner de l'argent, ou les jetons qui le représentent, contre les autres joueurs. Une partie se joue en plusieurs donnes jusqu'à un terme fixé au départ, jusqu'à ce que tous les joueurs encore actifs* décident de s'arrêter ou jusqu'à ce qu'il ne reste qu'un seul joueur, les autres n'ayant plus de quoi miser. Chaque donne est totalement indépendante de celles qui la précèdent ou la suivent.

À chaque donne, tous les joueurs reçoivent 5 cartes. Dans certains jeux, tel le stud à 7 cartes, chaque joueur se compose une main de 5 cartes à partir d'un plus grand nombre de cartes. Les tours d'enchères permettent aux joueurs de parier sur le fait qu'ils ont la meilleure main. Ils déposent leurs mises au centre de la table ; la totalité de ces mises constitue le pot. Un joueur peut passer* ou se coucher (il se retire du jeu) à tout moment, mais il perd tout ce qu'il a misé.

Sauf s'il ne reste qu'un joueur actif (qui remporte alors le pot), une donne se termine par l'abattage* où les joueurs encore actifs montrent leurs mains. Celui avec la main la plus haute remporte le pot.

Lors de l'abattage, deux ou plusieurs joueurs se partagent le pot s'ils ont une main gagnante de même valeur.

La plupart des pokers peuvent se jouer « hi/lo » : le joueur qui a la meilleure main et celui qui a la plus « mauvaise » se partagent alors le pot. Dans certaines variantes, une main peut à la fois être la plus haute et la plus basse.

Les règles générales

Le poker ne cesse d'évoluer et résiste à toute tentative de fixer des règles reconnues par tous. Un code a bien été élaboré au XIXe siècle, mais avant tout pour empêcher les joueurs de tricher. Nombre de clubs et de casinos ont leurs propres règles, et la plupart des ouvrages sur le sujet se limitent à des généralités.

Ce chapitre présente les règles communes à toutes les formes de pokers. Les chapitres suivants expliquent comment jouer à certaines variantes, comme le draw, le stud, et leur dérivés.

Le nombre de joueurs

Le nombre de joueurs peut varier de deux à quatorze selon la forme de poker à laquelle on joue. Comme il est possible d'intégrer une partie en cours, il n'est pas rare de décider dès le début du nombre de joueurs à ne pas dépasser. Il est préférable de n'être pas plus de sept pour jouer au draw, pas plus de dix pour jouer au stud. Quand le quota décidé est atteint, il faut qu'un joueur se retire pour qu'un autre puisse jouer. Les joueurs peuvent décider au début d'une partie de n'accepter aucun nouveau venu.

Les cartes

On utilise un jeu de 52 cartes standard, avec les valeurs suivantes : A (carte haute), R, D, V, 10, 9, 8, 7, 6, 5, 4, 3, 2.

L'as peut aussi être utilisé pour compléter une suite* (5-4-3-2-A) ; il est alors la carte basse (voir p. 12). Il ne peut pas être au milieu d'une suite, telle que 2-A-R-D-V.

Les couleurs sont toutes de force égale.

Les cartes wild*

Par commun accord, toute carte peut être choisie comme carte wild. Le joueur qui la possède peut l'utiliser à la place de n'importe quelle autre carte. Cependant, certaines écoles refusent qu'une carte wild puisse reproduire une carte que le joueur possède déjà : si le joueur a quatre as, sa carte wild ne peut représenter un cinquième as. Si le joueur a une double paire de rois et de 4, sa carte wild lui permet d'avoir un full dont la valeur est supérieure à sa double paire. De même, s'il a trois rois, sa carte wild lui permet d'avoir un carré.

Au départ, la façon la plus courante de jouer avec 1 carte wild était d'utiliser un jeu de 53 cartes, pourvu d'un joker*. On préfère désormais désigner une valeur dont les 4 cartes font office de cartes wild. Ce sont généralement les 2 – les 2 noirs si on ne joue qu'avec 2 cartes wild.

Vous en apprendrez davantage à ce sujet page 48, notamment sur les combinaisons que certains interdisent, l'influence des cartes wild sur la probabilité d'avoir telle ou telle combinaison de cartes, et comment évaluer une main avec 1 carte wild. Dans cet ouvrage, sauf mention contraire, nous n'utilisons pas de cartes wild.

Les mains

Voici ci-dessous les différentes mains ou combinaisons possibles, de la plus haute à la plus basse. Pour chaque main, le premier nombre indique le nombre de combinaisons possibles dans un jeu de 52 cartes (sans carte wild), le deuxième indique la probabilité d'être ainsi servi directement, et le troisième cette même probabilité exprimée en pourcentage.

TABLEAU 1 : Les mains au poker			
	Combinaisons	Probabilité	Description
1 Quinte flush	40	1 sur 64 974/ 0,0015 %	Une suite de 5 cartes assorties. S'il y a plusieurs quintes flushs, la gagnante est celle qui a la carte la plus haute. Une égalité serait miraculeuse.
2 Carré	624	1 sur 4 165 / 0,00240 %	4 cartes de même valeur, plus 1 isolée. S'il y a plusieurs carrés, c'est le plus haut qui gagne. Il n'y a pas d'égalité possible et la cinquième carte n'a aucune importance.

	Combinaisons	Probabilité	Description
3 Full 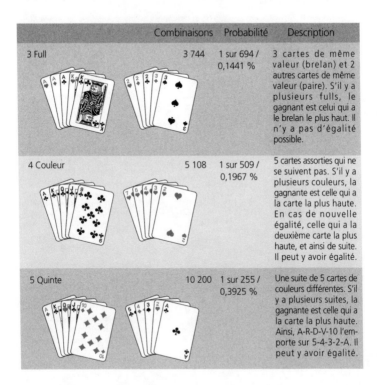	3 744	1 sur 694 / 0,1441 %	3 cartes de même valeur (brelan) et 2 autres cartes de même valeur (paire). S'il y a plusieurs fulls, le gagnant est celui qui a le brelan le plus haut. Il n'y a pas d'égalité possible.
4 Couleur	5 108	1 sur 509 / 0,1967 %	5 cartes assorties qui ne se suivent pas. S'il y a plusieurs couleurs, la gagnante est celle qui a la carte la plus haute. En cas de nouvelle égalité, celle qui a la deuxième carte la plus haute, et ainsi de suite. Il peut y avoir égalité.
5 Quinte	10 200	1 sur 255 / 0,3925 %	Une suite de 5 cartes de couleurs différentes. S'il y a plusieurs suites, la gagnante est celle qui a la carte la plus haute. Ainsi, A-R-D-V-10 l'emporte sur 5-4-3-2-A. Il peut y avoir égalité.

	Combinaisons	Probabilité	Description

6 Brelan

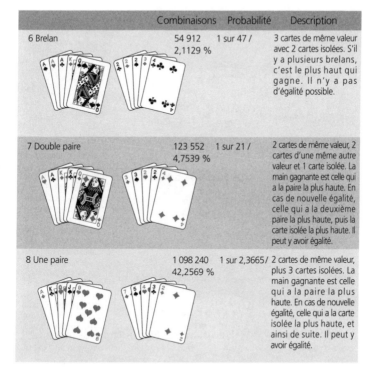

54 912
2,1129 %

1 sur 47 /

3 cartes de même valeur avec 2 cartes isolées. S'il y a plusieurs brelans, c'est le plus haut qui gagne. Il n'y a pas d'égalité possible.

7 Double paire

123 552
4,7539 %

1 sur 21 /

2 cartes de même valeur, 2 cartes d'une même autre valeur et 1 carte isolée. La main gagnante est celle qui a la paire la plus haute. En cas de nouvelle égalité, celle qui a la deuxième paire la plus haute, puis la carte isolée la plus haute. Il peut y avoir égalité.

8 Une paire

1 098 240
42,2569 %

1 sur 2,3665 /

2 cartes de même valeur, plus 3 cartes isolées. La main gagnante est celle qui a la paire la plus haute. En cas de nouvelle égalité, celle qui a la carte isolée la plus haute, et ainsi de suite. Il peut y avoir égalité.

	Combinaisons	Probabilité	Description
9 Rien	1 302 540	1 sur 1,9953 / 50,1177%	Cette main n'a pas vraiment de nom, mais on l'appelle parfois « sans paire » ou « carte haute ». En cas d'égalité, la main gagnante est celle qui a la carte la plus haute, et ainsi de suite. Il peut y avoir égalité.

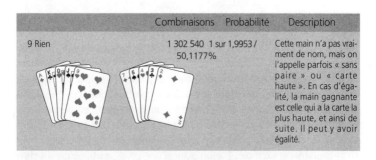

Que se passe-t-il si...?

Deux couleurs sont composées de cartes de même valeur : elles sont à égalité.

♥ 10-8-7-6-3   ♣ 10-8-7-6-3

Dans ce cas, les deux joueurs se partagent le pot.

Deux paires sont composées de cartes de même valeur : elles sont à égalité.

♥ K - ♦ K - ♣ 7 - ♠ 7   ♠ K - ♣ K - ♦ 7 - ♥ 7

La cinquième carte permet de les départager. Si celle-ci est la même, le pot est partagé.

Les jetons

Dans les casinos et les clubs, où tout le matériel nécessaire est mis à disposition des joueurs, on mise en utilisant des jetons. Il y en a généralement de quatre couleurs : blancs, rouges, bleus et jaunes. La valeur d'1 jeton est variable, car certaines tables acceptent des enchères (et donc des gains) plus importantes que d'autres. Dans un cadre privé, on peut certes jouer avec de l'argent mais il est préférable d'utiliser des jetons. Les joueurs définissent au départ, avant d'acheter les jetons, la valeur de chaque couleur pour chaque unité. Par exemple, 1 jeton blanc d'une unité se situe entre 1 penny et 1 livre en Grande-Bretagne, entre 1 cent et 1 dollar aux États-Unis, entre 1 centime et 1 euro en Europe, etc. Les enchères de tous les exemples présentés dans cet ouvrage sont indiquées en jetons.

La valeur habituelle des jetons

blanc	rouge	bleu	jaune
1	2	5	10
1	5	10	25
1	5	25	100

La banque

Quand on utilise des jetons, les joueurs choisissent l'un d'entre eux (qui s'assoit où il veut) pour tenir la banque. Il est responsable de tous les jetons et les distribue aux joueurs, lui compris, en fonction de leur valeur, puis les rachète aux joueurs qui quittent la partie.

La durée

Avant de commencer, les joueurs décident de l'heure à laquelle la partie doit se terminer, une limite qui s'applique aussi aux joueurs qui prennent la partie en cours. Les joueurs peuvent se retirer quand ils le veulent.

Les places

Les joueurs ne prennent place qu'une fois que celui qui tient la banque s'est assis. En cas de désaccord entre eux, on demande à un joueur de battre les cartes puis à un autre de couper. Celui qui tient la banque distribue à chacun des autres joueurs 1 carte ouverte. Celui qui a la plus haute choisit sa place, et ainsi de suite. Si deux joueurs ont 1 carte de même valeur, ils reçoivent 1 seconde carte pour les départager.

Le changement de place

Les joueurs peuvent changer de place après 1 heure de jeu ininterrompue, puis après chaque nouvelle heure de jeu. Si un joueur veut changer de place mais qu'un autre n'est pas d'accord, on répète l'étape précédente.

Joueur 1	Joueur 2	Joueur 3	Joueur 4	Joueur 5

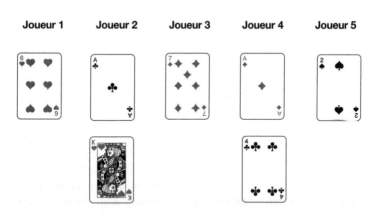

LE CHOIX DES PLACES Les joueurs 2 et 4 ont chacun reçu un as ; il faut donc les départager. La deuxième carte du joueur 2 étant plus haute que celle du joueur 4, le joueur 2 choisit sa place, puis c'est au tour des joueurs 4, 3, 1 et 5.

La séquence de jeu

Le poker se joue dans le sens des aiguilles d'une montre. Le donneur distribue les cartes une par une, en commençant par le joueur placé à sa gauche. Les tours d'enchères se font exactement de la même façon. Une fois la donne terminée, c'est au joueur placé à gauche du donneur précédent de distribuer.

Le premier donneur
Une fois tout le monde assis, on choisit celui qui donne comme on choisit les places, sauf que celui qui tient la banque se donne également 1 carte. Si deux joueurs ou plus reçoivent des cartes de même valeur, on leur en distribue 1 seconde. C'est le joueur qui a la plus haute carte qui donne en premier.

Au casino, comme la banque est tenue par un croupier, on utilise un bouton pour désigner le joueur qui devrait théoriquement donner. Le bouton passe donc de joueur en joueur pour déterminer qui sera servi en premier, qui parlera en premier, etc. C'est un moyen simple pour éviter tout désaccord à ce sujet.

Les antes

Pour que le jeu soit financièrement plus intéressant, on place en règle générale des jetons au centre de la table pour remplir le pot avant chaque donne. Ces jetons sont des antes (mises initiales). Dans la plupart des cas, chaque joueur met 1 jeton dans le pot avant le début de la donne. Parfois, par commodité, c'est le donneur qui le fait pour tous les joueurs. Ainsi, s'il y a huit joueurs, le donneur met 8 jetons. Après huit donnes, la contribution de tous est égale. Les antes sont placés au centre de la table, généralement à l'écart des enchères effectuées au cours du jeu. Ainsi, on voit plus facilement les mises de tous les joueurs. À la fin, le gagnant remporte la totalité des enchères, antes compris.

LE BLIND* ET LE SURBLIND

On remplace parfois les antes par des « mises forcées » (blinds), définies au préalable et déposées uniquement par les deux premiers joueurs assis à gauche du donneur. Le premier joueur mise un blind : par exemple, 1 jeton. Le deuxième joueur mise un surblind d'un montant plus élevé : par exemple, 2 jetons. Le troisième joueur est le premier à miser volontairement. Ces mises forcées sont placées devant leurs auteurs respectifs car, contrairement aux antes, elles sont de vraies enchères.

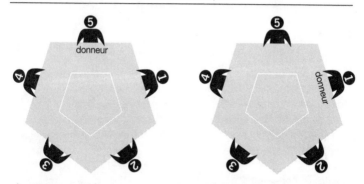

LA DONNE ET LE JEU Le joueur qui se trouve à gauche du donneur est, la plupart du temps, le premier à recevoir 1 carte et à parler. Une fois que la donne est terminée, ce joueur distribue à son tour en commençant par son voisin de gauche.

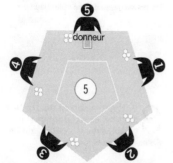

LES ANTES ET LES MISES FORCÉES Les antes permettent à chaque joueur d'apporter une contribution égale (par exemple, 1 jeton) au pot placé au centre de la table. Quand seuls certains joueurs mettent des jetons, comme avec les mises forcées, ceux-ci constituent de vraies enchères.

Le battage

Les cartes doivent être battues trois fois avant chaque donne. Tout joueur peut demander à le faire, mais le donneur bat en dernier.

1 Prenez le paquet dans le creux de votre main gauche, dernière carte face cachée, en le maintenant sur le haut avec le pouce. Avec votre main droite, prenez le plus de cartes possible.

2 Avec votre pouce droit, séparez 6 à 12 cartes du haut du paquet pendant que votre main droite prend la quasi-totalité du paquet. Dans votre main gauche, les cartes glissent dans votre paume.

3 Battez les cartes de droite à gauche, en écartant quelques cartes avec le pouce gauche. Faites-le plusieurs fois.

La coupe

Après avoir battu, le donneur dépose les cartes devant le joueur placé à sa droite pour qu'il coupe. Celui-ci retire alors quelques cartes du haut du paquet et les dépose sur la table en les recouvrant avec le reste du paquet. Chaque partie ainsi coupée doit contenir au moins 5 cartes.

Si le joueur placé à droite refuse de couper, c'est au joueur à sa droite de le faire. Seule la superstition est une raison valable pour refuser de couper. Si tous les joueurs refusent, c'est le donneur qui s'en charge.

1 Retirez quelques cartes du haut du paquet, sans regarder la dernière ni permettre à quelqu'un de la voir.

2 Déposez les cartes à côté du paquet.

3 Recouvrez ces cartes avec le reste du paquet.

La donne

Une fois les cartes battues et coupées, le donneur brûle* la première carte du haut du paquet en la déposant face cachée sur la table, entamant ainsi la pile des cartes qui seront peu à peu écartées. Il distribue ensuite les cartes une par une, sans s'oublier et en commençant par le joueur placé à sa gauche. Le nombre de cartes distribuées et la façon dont elles sont présentées dépendent du poker auquel on joue.

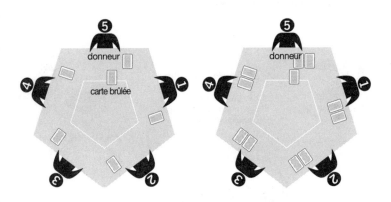

Les enchères

Quelle que soit la forme de poker, les enchères se déroulent pendant les tours d'enchères. Pendant chacun de ses tours, un des joueurs a le droit, voire l'obligation, de miser en premier. Ensuite, chaque joueur doit, lorsque vient son tour, faire une des quatre choses suivantes (dans certains cas, un joueur peut aussi dire « Check » (= « Parole »*) :

MISER (= BET)

Un joueur ouvre les enchères en mettant 1 ou plusieurs jetons dans le pot et en annonçant le montant de sa mise. Par exemple : « Je mise 2. »

SUIVRE (= CALL)*

Un des joueurs suivants met assez de jetons dans le pot pour que sa mise soit égale à la dernière enchère, mais pas plus. Cela lui permet de rester actif. Il annonce alors qu'il suit en précisant le nombre de jetons qu'il met dans le pot. Par exemple : « Je suis de 2. »

RELANCER (= RAISE)*

Un autre joueur met assez de jetons dans le pot pour que sa mise soit égale à la dernière enchère, plus 1 ou plusieurs jetons. Il annonce le nombre de jetons, d'abord pour suivre, ensuite pour relancer. Par exemple : « Je suis de 2 et relance de 2. »

SE COUCHER

Un joueur qui sent qu'il ne peut pas gagner pose ses cartes sur la table, faces cachées, en annonçant qu'il passe. On dit aussi qu'il « se couche ». Cela signifie qu'il abandonne la donne en cours et qu'il ne récupérera aucun des jetons qu'il a peut-être déjà misés dans le pot. Les autres joueurs ne doivent en aucun cas voir les cartes qu'il a en main : cela rendrait la partie inéquitable.

Quand on met des jetons dans le pot, il ne faut pas les mélanger avec ceux des autres joueurs puisque le montant des enchères de tous les joueurs doit toujours être visible. On pousse ses jetons vers le centre de la table tout en les maintenant à l'écart des autres.

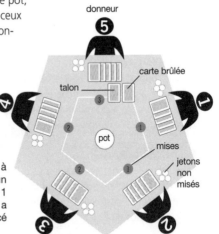

PREMIER TOUR DE MISES Voici à quoi ressemble la table après un premier tour de mises* : le joueur 1 a misé 1 jeton, le 2 a suivi, le 3 a relancé, le 4 a suivi et le 5 a relancé à son tour.

Blind (= enchérir après les mises forcées)

Une fois que les mises forcées ont été déposées (composées respectivement, par exemple, de 1 et 2 jetons), le troisième joueur (le premier à enchérir volontairement) doit miser au moins 2 jetons pour rester actif – ce qui revient à suivre puisque les mises forcées constituent de véritables enchères. Quand c'est au tour des deux premiers joueurs de miser (les auteurs des mises forcées), ils doivent le faire dans la suite logique des enchères : si la mise est de 6 jetons, le joueur 1 doit en miser 5 pour suivre, le joueur 2 seulement 4.

Check (= dire « Parole »)

Comme nous l'avons dit en page 29, en plus de suivre, de relancer ou de passer, il est parfois possible de dire aussi « Check » (= « Parole »).
Le premier joueur qui parle peut dire « Check » – ce qui signifie qu'il reste actif sans miser pour le moment et donc sans augmenter le pot. On peut y voir une façon de ne « rien miser ». Les joueurs suivants peuvent faire de même tant qu'un des joueurs précédents n'a pas misé. Après, plus personne ne peut dire « Check » pendant le restant du tour d'enchères. Il faut suivre ou relancer pour rester actif.

Les usages des enchères

Pour éviter les malentendus, il existe quelques règles générales qui doivent être respectées sous peine de pénalité (voir « les irrégularités », page 44).

- Quelle que soit sa décision, un joueur doit toujours l'annoncer clairement. S'il relance, il peut dire : « Je suis de 2 et je relance de 2. »
- Il faut toujours attendre son tour.
- Quand un joueur passe, il pose simplement ses cartes ou les place sur la pile des cartes écartées.
- En règle générale, les joueurs ne montrent leurs cartes qu'au moment de l'abattage.

Les mises limitées*

On estime généralement qu'il est préférable de limiter pour tous les joueurs la mise maximale du premier pari et la mise maximale d'une éventuelle relance. Cela évite qu'un joueur trop riche n'écrase les enchères. Il est tout aussi légitime de fixer à 1 jeton la mise initiale et la relance minimale.

Dans les jeux très pondérés, mise et relance peuvent aussi être limitées à 1 jeton. C'est moins ridicule qu'il n'y paraît car, si quatre ou cinq joueurs ne cessent de relancer, le pot peut se monter à 50 jetons, voire plus, dès le premier tour d'enchères, comme le montre le tableau ci-dessous.

Joueurs				
1	2	3	4	5
premier tour				
1	2	3	4	5
deuxième tour				
5 (6)	5 (7)	5 (8)	5 (9)	5 (10)
troisième tour				
5 (11)	passe	3 (11)	2 (11)	passe

NB : Le nombre entre parenthèses correspond au montant total déposé par chaque joueurs. Idem dans les tableaux des pages 34, 35 et 38.

D'autre part, si les joueurs sont audacieux ou riches, rien ne les empêche de décider qu'une mise ou une relance peut atteindre la valeur maximale de 1 jeton, soit 10, 25 ou 100.

Certains pensent qu'il est préférable de limiter le nombre de relances qu'un joueur peut faire au cours d'un tour d'enchères. C'est aussi un moyen d'empêcher la domination des joueurs les plus riches. Trois relances semblent raisonnables.

Voici d'autres moyens de fixer des limites supérieures :

Des limites variables

Au draw, la limite maximale peut être plus élevée après le tirage qu'avant. Par exemple, 1 jeton avant le tirage, 2 jetons après, ou 2 jetons avant et 5 après. Au stud, la limite peut être plus élevée lors du dernier tour d'enchères que lors des tours précédents. Ainsi, au stud à 5 cartes on peut décider une mise maximale de 1 jeton pour les trois premiers tours d'enchères, puis de 10 pour le dernier.

Relancer

Cela signifie qu'un joueur peut au maximum doubler la mise du joueur précédent. Par exemple, si le premier joueur a misé 1 jeton, le suivant ne peut relancer avec plus de 1 jeton : le premier joueur qui veut relancer doit ainsi miser 2 jetons (1 pour suivre et 1 pour relancer) – la limite est donc de 2 jetons, mais elle évolue en fonction des enchères suivantes. Les joueurs ne sont pas obligés de relancer, mais, s'ils le font, les enchères grimpent rapidement. Dans l'exemple suivant, les joueurs qui ne passent pas suivent ou relancent :

Joueurs				
1	2	3	4	5
premier tour				
1	2	3	4	4
deuxième tour				
7 (8)	14 (16)	passe	28 (32)	passe
troisième tour				
56 (64)	passe		32 (64)	

En trois tours, le pot se monte à 144 jetons.

Pot limit (= la limite du pot)*

Elle permet à un joueur de relancer en misant autant de jetons qu'il y en a dans le pot, y compris les jetons qu'il y a placés lui-même, pour pouvoir suivre la mise précédente. La limite peut ainsi s'élever très rapidement. Dans l'exemple suivant, les joueurs passent, suivent ou relancent au maximum :

Joueurs				
1	2	3	4	5
premier tour				
1	3	10	34	116
		(montant du pot)		
1	4	14	48	164
deuxième tour				
394 (395)	passe	385	passe	279
		(montant du pot)		
558	558	943	943	1 222

En deux tours, le pot est passé de 1 jeton à 1 222.

Les enjeux de table*

Tous les joueurs achètent à la banque une même quantité prédéfinie de jetons : par exemple, 100. Cette quantité s'appelle « la cave ». On peut toujours en acheter davantage, en fait autant qu'on le souhaite (sauf dans certains types de tournois), mais toujours par 100. En revanche, on ne peut pas acheter de jetons au cours d'une donne ; il faut attendre qu'elle soit terminée pour cela. Il est possible d'acheter moins de jetons, mais uniquement si on n'a plus les moyens d'en acheter 100. Un joueur qui perd ses derniers jetons doit quitter la partie. La somme disposée devant soi est la seule limite de cette forme de poker.

Si un joueur n'a plus de jetons au cours d'une donne, il doit faire tapis* (voir page suivante).

La décave* (freeze out en tournoi)

La décave permet de jouer au poker à concurrence d'une certaine somme, donc en limitant les pertes éventuelles. Tous les joueurs commencent avec le même nombre prédéfini de jetons et aucun ne peut en acheter d'autres au cours de la partie. La partie se termine quand il ne reste plus qu'un seul joueur actif qui, bien sûr, remporte le pot. Très populaire dans les casinos, ce type de partie peut durer très longtemps.

Faire tapis

Un des principes du poker est qu'aucun joueur ne peut en contraindre un autre à quitter la partie en augmentant trop fortement la mise. Si un joueur n'a pas assez de jetons pour suivre (mettons qu'il en ait 10 au lieu de 12), il peut miser tous les jetons qui lui restent et suivre à hauteur de sa mise. C'est ce qu'on appelle « faire tapis. » Il dit alors : « Je suis pour 10 et fais tapis ». Cela ne remet pas en cause les mises supérieures des autres joueurs, que l'on place aussitôt dans un pot parallèle*, distinct du pot principal* qui, lui, ne contient que les mises égales précédentes. Le joueur qui a fait tapis reste actif et peut remporter le pot, mais il ne prend plus part aux enchères.

Les joueurs qui continuent à prendre part aux enchères déposent leurs mises dans le pot parallèle. Si l'un d'entre eux n'a à son tour plus assez de jetons pour suivre, il fait également tapis et on commence un second pot parallèle. À l'abattage, tous les joueurs qui n'ont pas passé peuvent gagner, mais seuls ceux qui ont misé dans le pot parallèle peuvent prétendre à ce dernier. S'il gagne, le joueur qui a fait tapis remporte seulement le pot principal.

Si un joueur passe après avoir misé dans le pot parallèle, après donc qu'un autre a fait tapis, il ne peut prétendre à aucun pot.
À la fin du tour de mises illustré ci-contre, seuls les joueurs 3, 4, 5 et 6 sont encore en mesure de participer aux tours suivants et ont misé chacun 16 jetons. Le joueur 2 ne participera pas aux tours suivants mais pourra

prétendre au pot principal, qui reste bloqué à 77 jetons (l'ante est de 7 jetons et les joueurs 2, 3, 4, 5 et 6 ont misé chacun 14 jetons). Les joueurs 3, 4, 5 et 6 retirent chacun 2 jetons du pot principal, les empilent à côté du pot dans ce qui va devenir le pot parallèle, puis continuent de miser pendant les tours de mises suivants. À l'abattage, c'est le joueur qui a la main la plus haute qui remporte les deux pots, sauf s'il s'agit du joueur 2. Si c'est lui qui a la main la plus haute, il gagne les 77 jetons du pot principal – autrement, il quitte le jeu – et le pot parallèle revient au joueur qui a la seconde main la plus haute.

Un joueur ne fait tapis que s'il mise tous ses jetons. S'il remporte le pot principal, il peut continuer à jouer. Dans le cas contraire, il se retire du jeu, sauf si on joue avec des enjeux de table (voir page 36) et qu'il peut acheter d'autres jetons.

Joueurs						
1	2	3	4	5	6	7
premier tour						
parole	parole	1	2	4	4	passe
deuxième tour						
passe	4	7 (8)	10 (12)	8 (12)	12 (16)	
troisième tour						
	10* (14)	8 (16)	4 (16)	4 (16)		

* Le joueur 2 fait tapis avec ses 10 derniers jetons.

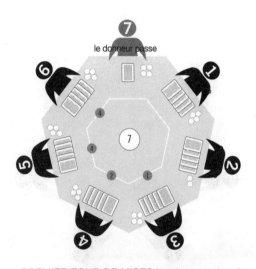

PREMIER TOUR DE MISES Les joueurs 1 et 2 préfèrent dire « Parole », mais le donneur passe.

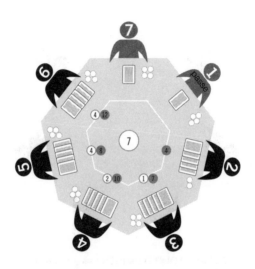

DEUXIÈME TOUR DE MISES Le joueur 1 passe, le joueur 2 suit les 4 jetons du joueur 6. Le joueur 3 relance de 8 jetons, le joueur 4 de 12 jetons, le joueur 5 suit et le joueur 6 relance de 16 jetons.

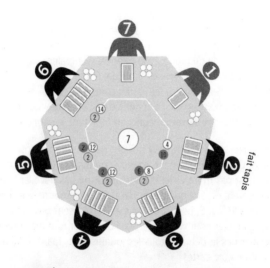

TROISIÈME TOUR DE MISES Le joueur 2 fait tapis avec un total de 14 jetons (il lui en manque 2). Les joueurs 3, 4 et 5 ont assez pour miser normalement et entament donc un pot parallèle avec chacun 2 jetons. Le joueur 6 retire 2 jetons du pot principal et les met dans le pot parallèle.

L'abattage

À la fin du dernier tour de mises, s'il y a plus d'un joueur actif, tous ceux qui restent doivent montrer leur main en la posant sur la table, et ce en commençant par le dernier à avoir relancé. Généralement, chaque joueur annonce ce qu'il a, mais rien ne l'y oblige. S'il se trompe en le faisant, cela ne l'engage en rien – seules les cartes comptent. Le joueur qui a la main la plus haute remporte le pot. Personne ne doit s'emparer du pot avant d'être reconnu par tous les autres joueurs comme étant le gagnant.

Tous les joueurs, y compris ceux qui ont passé, sont autorisés à assister à l'abattage. Cependant, certains joueurs, quand ils perdent à ce moment-là, ne veulent pas montrer leurs cartes pour ne pas dévoiler leur stratégie et se contentent de dire qu'ils sont battus et de remettre leurs cartes directement dans le jeu. Si beaucoup ne s'en formalisent pas, rien n'empêche pourtant d'insister pour voir les cartes. Pour éviter tout malentendu, mieux vaut décider dès le début si tous les joueurs participant à l'abattage doivent montrer leurs cartes.

Les mains égales

Si, lors de l'abattage, plusieurs joueurs ont des mains absolument égales (ce qui est très rare), ils se partagent le pot. Si le montant du pot est impair, le dernier jeton revient au joueur qui a relancé en dernier ou au joueur le plus proche du bouton.

Le dernier

S'il ne reste plus qu'un joueur actif (c'est-à-dire le dernier à avoir misé ou relancé sans avoir été suivi), il est inutile de procéder à l'abattage et ce joueur remporte le pot sans avoir à montrer sa main.

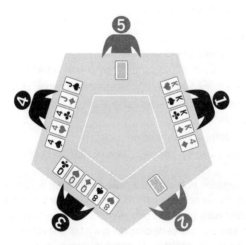

ABATTAGE Tous les joueurs encore actifs montrent généralement leurs mains. Dans cet exemple, les joueurs 3 et 4 ont chacun un full. Ils doivent pourtant s'incliner devant le joueur 1 qui a un carré de rois.

Les irrégularités

Le poker est un jeu dans lequel de grosses sommes peuvent changer de mains ; aussi n'est-il pas inutile de savoir réagir aux erreurs que commettent même les joueurs les plus expérimentés. Voici quelques consignes à suivre dans certaines situations :

Les maldonnes

Il y a maldonne dans l'un des cas suivants :

• le paquet de cartes n'est pas complet, on annule la partie ;

• certaines cartes sont tournées du mauvais côté et donc visibles ;

• un des joueurs remarque que les cartes n'ont pas été correctement battues et coupées ;

• le donneur montre accidentellement une carte ;

• au moins deux joueurs n'ont pas le bon nombre de cartes.

La donne est annulée et le donneur cède son tour au joueur suivant. Les cartes doivent être de nouveau battues et coupées avant d'être distribuées. Les antes restent dans le pot, où sont déposés les antes correspondants au nouveau pot. En partie privée, le donneur qui a fait une erreur écope d'une pénalité : il donne, par exemple, 1 jeton à chaque joueur.

Il n'y a pas maldonne pour certaines erreurs moins graves :

- Si le donneur fait une erreur qui peut facilement être réparée, comme distribuer 1 carte en se trompant de joueur, il lui suffit de reprendre la carte et de la distribuer au bon joueur.
- Si le donneur oublie de servir un joueur, il doit lui donner sa propre main. S'il donne une main en trop, cette main superflue devient morte, c'est-à-dire qu'elle est écartée. Le coup peut aussi être annulé si tous les joueurs le décident.
- Les joueurs doivent compter leurs cartes avant de les regarder. S'il en manque 1 à un joueur, le donneur lui donne la première carte du paquet. Si un joueur en a 1 en trop, il rend la dernière carte reçue au donneur et la carte est écartée.

Les erreurs pendant les enchères

MISER SANS ATTENDRE SON TOUR

Il est très gênant de miser quand ce n'est pas son tour. Si un joueur mise, suit ou relance quand ce n'est pas à lui de le faire, sa mise et ses jetons sont déposés dans le pot puis « gelés ». Sa mise ne sera prise en compte qu'en temps voulu, et elle sera traitée comme nous allons le voir. Quoi qu'il arrive, il ne doit pas reprendre ses jetons. Le joueur dont c'était le tour de parler, puis les suivants font comme s'il ne s'était rien passé. Toutefois, quand c'est vraiment à son tour de parler, le joueur qui s'est trompé est obligé de miser ce qu'il a annoncé, obligeant les joueurs suivants à miser à cette hauteur.

- S'il veut miser et que personne n'a enchéri avant lui, sa mise doit être identique à celle qu'il a annoncée trop tôt.
- Si quelqu'un a déjà misé, il est tenu de suivre. Si le nombre de jetons déposés dans le pot n'est pas suffisant pour cela, il doit le compléter – autrement il doit passer et tout perdre. S'il a déjà mis plus de jetons qu'il n'en faut, il reste tenu de suivre à la hauteur requise mais doit malgré tout laisser les jetons supplémentaires dans le pot. Il ne peut pas relancer.
- Si un joueur passe alors que ce n'est pas à son tour de parler et qu'il a au moins deux joueurs avant lui, il doit miser assez de jetons pour suivre toute relance faite éventuellement par ces joueurs – même s'il est ensuite obligé de passer et qu'il ne remportera donc pas le pot. Si les autres joueurs passent ou suivent, il peut passer normalement et n'écope d'aucune pénalité.

PAS ASSEZ DE JETONS
Si un joueur mise, que ce soit son tour ou non, mais qu'il ne met pas de jetons dans le pot, son annonce est considérée comme nulle.

Si un joueur ne met pas le nombre de jetons correspondant à sa mise, on doit lui demander de compléter pour que son annonce soit prise en compte.

TROP DE JETONS
Si un joueur met trop de jetons dans le pot, son annonce est prise en compte mais il perd les jetons superflus, sauf s'il corrige son annonce avant qu'un autre joueur remarque son erreur.

Qu'un joueur parle quand ce n'est pas son tour ou qu'il se trompe dans son annonce, les jetons qu'il a versés au pot ne peuvent lui être rendus.

Montrer ses cartes

Un joueur qui a passé ne doit pas montrer ses cartes – en fait, les cartes ne sont montrées qu'au moment de l'abattage. Un joueur qui montre une carte accidentellement n'est pas pénalisé. Par contre, un joueur qui le fait régulièrement, volontairement ou non, écope d'une pénalité à la demande du donneur : il donne, par exemple, 1 jeton à chaque joueur.

Montrer les cartes écartées

Aucun joueur ne doit regarder les cartes qui restent dans le paquet, ni celles écartées par les autres joueurs au cours de la partie. Le cas échéant, il doit passer ou, s'il ne jouait pas, il écope d'une pénalité (par exemple, 1 jeton à chaque joueur).

La responsabilité du donneur

Le donneur doit vérifier que tout se passe bien et attirer l'attention des autres joueurs sur la moindre irrégularité. Toute contestation doit être avalisée par tous les joueurs.

L'UTILISATION DES CARTES WILD

Les cartes wild peuvent être utilisées dans toutes les
formes de pokers. À l'origine, on ajoutait un joker (figu-
rant généralement un bouffon), une carte bien spécifique qui pouvait remplacer n'importe quelle autre carte.

On choisit 1 ou plusieurs cartes de même valeur pour servir de cartes wild*.
Dans le spit in the ocean (voir page 88), une variante du draw, toutes les
cartes d'une même valeur sont des cartes wild.

Ce sont généralement les 2 qui font office de cartes wild (deuces wild).
Si on ne veut que 2 cartes wild, on utilise les 2 noirs ou les valets « borgnes » (V♥ et V♠). Si on en veut 3, on utilise toutes les figures « borgnes »
en ajoutant le R♦ aux V♥ et V♠.

Les probabilités

L'utilisation de cartes wild bouleverse toutes les probabilités d'avoir telle ou
telle combinaison. En outre, la présence de 1 carte wild peut transformer
radicalement la valeur de n'importe quelle main. Par exemple, s'il y a 2 cartes wild dans un jeu, il est plus probable d'avoir un brelan qu'une double
paire, un carré qu'une couleur. Une main ne peut pas être à la fois composée de 1 carte wild et d'une double paire, car il suffit d'ajouter 1 carte

wild à l'une des deux paires pour que cette dernière se transforme aussitôt en brelan. Par exemple, si les 2 font office de cartes wild et qu'on a 9♥ - 9♦ - 8♠ -2♠ - 3♦, il est bien plus intéressant de composer un brelan en ajoutant le 2 à la paire de 9 que de créer une seconde paire.

Toutefois, la valeur des différentes mains ne change pas pour autant.

Pour bien comprendre à quel point les cartes wild peuvent vraiment favoriser certaines combinaisons, il suffit de regarder les probabilités présentées dans le tableau 2.

Pour estimer la valeur d'une main dans un jeu avec des cartes wild, il faut savoir qu'à cinq ou six joueurs, on gagne en moyenne avec un brelan d'as dont l'un des as est 1 carte wild. Il faut savoir également que le fait d'avoir une combinaison « naturelle » est moins intéressant que d'avoir la même combinaison avec 1 carte wild, car, si vous avez 1 carte wild, cela réduit d'autant les chances des autres joueurs d'en avoir 1 ou 2. En fait, quand il y a 4 cartes wild dans un jeu, cela vaut rarement la peine de tenter sa chance si on ne possède pas au moins 1 carte wild. La probabilité de remporter le pot avec au moins un brelan est telle qu'il n'est vraiment pas raisonnable d'espérer gagner en ayant moins.

Qui l'emporte ?

Quand on joue avec des cartes wild, il est indispensable de s'entendre sur l'égalité de certaines combinaisons. Il y a deux cas de figure :

1 C'est la carte la plus haute de la combinaison qui compte, avec ou sans cartes wild. Ainsi la quinte 9-8-W-6-5 l'emporte sur la quinte 7-6-5-4-3 puisque le 9 est supérieur au 7.

2 Une main « naturelle » est plus forte qu'une main composée de 1 carte wild. Ainsi, dans le cas précédent, c'est la quinte 7-6-5-4-3 qui l'emporte sur 9-8-W-6-5. Cela implique également qu'une main composée de 1 carte wild l'emporte sur une main similaire composée de 2 cartes wild. Ainsi, la main A-A-W-6-3 est plus forte que la quinte A-W-W-10-4, qui gagnerait pourtant dans l'autre cas. En fait, ceux pour qui, à combinaison égale, une main est plus forte sans carte wild considèrent que la main 7-7-7-D-8 l'emporte sur les deux précédentes dont la carte la plus haute est pourtant un as.

Ces questions doivent donc être réglées avant de commencer à jouer – en sachant que le seul problème qui puisse surgir est d'avoir à départager des mains de même hauteur en fonction de la présence ou du nombre de cartes wild.

Que remplacent les cartes wild ?

Quand on joue avec des cartes wild, il faut également décider si elles peuvent remplacer n'importe quelles cartes ou seulement celles que le joueur n'a pas en main. Au début de cet ouvrage, nous avons précisé que, pour certaines écoles, 1 carte wild ne peut remplacer que 1 carte que le joueur ne possède pas. C'est cette dernière solution qui semble la plus raisonnable. Cependant, certains pensent que 1 carte wild peut bel et bien être le double de 1 carte qu'ils ont déjà en main.

5 cartes de même valeur

Ce qui nous amène à considérer une nouvelle combinaison : 5 cartes de même valeur. Un joueur qui a quatre 8 et 1 carte wild, ou trois 8 et 2 cartes wild, peut annoncer une main de cinq 8. Comme il n'y a que quatre couleurs, deux 8 sont donc identiques. En outre, comment évaluer une telle main ? Certains la placent en première place, d'autres en deuxième, juste derrière la quinte flush royale (A-R-D-V-10 assortis). Dans ce dernier cas, cela revient à séparer la quinte flush royale de la quinte flush dont elle est pourtant le prolongement. Ce n'est pas logique du tout.

Avec 1 seule carte wild (donc un joker), la quinte flush royale a encore moins de raisons d'être plus haute qu'une main de 5 cartes de même valeur puisque, avec un ratio de 24 à 13, elle est plus facile à obtenir.

Une couleur avec deux as

Quand on utilise des cartes wild, il faut aussi prendre en compte une main « virtuelle » : une couleur avec deux as. Si un joueur a A♥ - 9♥ - 8♥ - 3♥ - F, comme la carte wild double l'as, il obtient une couleur avec deux as. Cette main l'emporte alors sur A♦ - R♦ - D♦ - V♦ - 9♦. Avec 2 cartes wild, une couleur avec trois as est aussi possible. Toutefois, certains joueurs acceptent 5 cartes de même valeur mais refusent une couleur avec deux as – ce qui n'est pas logique. Quand on considère tous les problèmes qui se posent pour déterminer la valeur d'une main avec cartes wild par rapport à une main similaire sans cartes wild, on comprend aisément que l'utilisation de cartes wild n'est pas une mince affaire.

TABLEAU 2 : Probabilités d'avoir telle ou telle main

Main	Probabilités sans cartes wild	Probabilités avec cartes wild
Une paire	1 sur 2,4	1 sur 2,1
Double paire	1 sur 21	1 sur 27
Brelan	1 sur 47	1 sur 7
Quinte	1 sur 255	1 sur 39
Couleur	1 sur 509	1 sur 197
Full	1 sur 694	1 sur 205
Carré	1 sur 4 165	1 sur 84
Quinte flush	1 sur 69 974	1 sur 638
5 cartes de même valeur		1 sur 3 868
Quinte flush royale	1 sur 649 740	1 sur 5 370

Le draw poker

Au tout début du poker, les joueurs misaient après avoir reçu 5 cartes chacun. Aucun d'entre eux ne pouvait écarter 1 ou plusieurs cartes : on donnait, on misait, on abattait. À partir du moment où les joueurs ont pu, entre ce qu'on appelle désormais « le premier tour » et « le deuxième tour d'enchères », améliorer leurs mains en écartant 1 ou plusieurs cartes et en en tirant autant, le jeu a changé de nature. C'est devenu le draw poker (« poker à tirage »), ce qui a permis de le différencier du poker initial. C'est aujourd'hui le poker le plus joué entre amis, et on lui a conservé son nom pour le distinguer des nombreuses variantes du stud. Nous conseillons vivement aux débutants de le maîtriser avant de passer aux autres formes de pokers.

Nous en présentons d'abord la version de base : le draw poker standard. Cependant, le jackpot (voir page 86), une version légèrement différente, est si populaire aux États-Unis que certains ouvrages le présentent comme le draw poker standard avec sa propre variante « Anything Opens ». Le terme de « tirage » (draw) est par ailleurs impropre puisque c'est le donneur qui distribue les cartes et non les joueurs qui les tirent. Le mieux est d'y jouer entre cinq et sept joueurs.

Les préliminaires

Comme nous l'avons dit dans les règles générales, les joueurs doivent se mettre d'accord sur plusieurs points avant de commencer :

- fixer une durée maximale et décider, si on l'atteint, d'arrêter la partie dès que tous les joueurs ont distribué un même nombre de fois ;
- décider de la forme de poker à laquelle on joue (nous avons vu qu'il y a de très nombreuses variantes) ;
- fixer les limites des enchères ;
- que faire en cas d'irrégularité ;
- qui tient la banque, si on joue avec des jetons ;
- qui donne en premier ;
- choisir les places.

Pour ce jeu à six joueurs, nous supposons que les points suivants ont été acceptés par tous :

- il y a quatre couleurs de jetons, avec des valeurs de un, deux, cinq et dix ;
- la mise et la relance minimales sont de 1 jeton ;
- la relance maximale est de 2 jetons avant le tirage, de 5 jetons après ;
- un joueur ne peut pas faire plus de trois relances par tour de mises.

Le jeu

1 Le donneur place 6 jetons au centre de la table – ce qui représente un ante de 1 jeton par joueur. Il est plus simple que chaque donneur mette à tour de rôle la totalité des antes dans le pot.

2 Les cartes sont battues et distribuées comme nous l'avons vu précédemment dans les règles générales.

3 Le donneur distribue 5 cartes par joueur, une par une, sans s'oublier et en commençant par le joueur assis à sa gauche. Le donneur dépose ensuite le talon, face cachée, devant lui.

Le premier tour d'enchères

Entre chaque donne, un « tour d'enchères » que l'on peut diviser en « tours de mises » permet aux joueurs de miser. La première occasion de miser revient au joueur assis à gauche du donneur. Il a trois possibilités : passer, checker ou miser. S'il checke, le deuxième joueur dispose aussitôt du même choix. Par contre, dès qu'un joueur a misé, plus personne ne peut dire « check » et il faut alors passer, suivre ou relancer.

Si tous les joueurs, y compris le donneur, checkent, la donne est terminée. Les cartes sont ramassées, de nouveau battues et coupées, puis distribuées par le joueur suivant. Ce dernier remet un ante de 6 jetons, et le pot en contient donc 12.

Le tirage

Le tour d'enchères s'achève quand les mises de tous les joueurs encore actifs sont égales. Le tirage peut alors commencer.

1 Le donneur prend le talon et s'apprête à distribuer les cartes, tour à tour, à tous les joueurs qui n'ont pas passé, en commençant par le premier joueur encore actif assis à sa gauche.

2 Celui-ci annonce le nombre de cartes qu'il désire écarter. S'il ne veut en écarter aucune, il joue « stand pat »*, c'est-à-dire sans changer ses cartes. Dans ce cas, le joueur dit généralement « Servi » et tape doucement sur la table. Un joueur peut écarter 1 à 3 cartes – 4 s'il y a moins de six joueurs.

3 Il passe les cartes qu'il écarte, faces cachées, au donneur qui les empile à côté de lui. Le donneur lui distribue ensuite un nombre de cartes équivalent pour que sa main se compose toujours de 5 cartes.

4 Ensuite, le donneur fait de même avec le joueur suivant. Aucun joueur ne doit annoncer le nombre de cartes qu'il souhaite écarter avant celui qui parle avant lui.

5 Le donneur tire ses propres cartes en dernier, en prenant soin d'annoncer le nombre de cartes qu'il écarte.

Pendant le tirage, avant que la première mise ait été annoncée, un joueur peut demander à un autre le nombre de cartes qu'il a écartées.

Le second tour d'enchères

Le second tour d'enchères commence après le tirage, quand tous les joueurs ont leurs 5 cartes définitives en main. Le premier joueur à parler est celui qui a misé en premier au cours du premier tour d'enchères. Si entre-temps il a passé, c'est au premier joueur encore actif et assis à sa gauche de le faire, et ainsi de suite. Comme au premier tour, il faut choisir entre passer, dire « Parole » ou miser, puis, dès la première mise, passer, suivre ou relancer. Ce second tour d'enchères s'achève lui aussi quand toutes les mises des joueurs encore actifs sont égales. Ensuite, c'est le moment d'abattre les cartes.

L'abattage

Chaque joueur encore actif montre ses cartes en annonçant sa main, dans le sens des aiguilles d'une montre et en commençant par le dernier qui a relancé. Le joueur qui a la meilleure main remporte le pot.

L'arithmétique du draw poker

Le tableau 1 (voir pages 16 à 19) présente les différentes combinaisons qui composent une main et les probabilités de les obtenir. À partir de quoi, il est facile d'estimer la valeur d'une main. Par exemple, près de la moitié des mains comprennent au moins une paire. Cependant, en gros, un joueur n'a que 7,5 % de chances d'améliorer sa main, soit à peu près une main sur treize. Le tableau 3 présente les probabilités de toucher une certaine main ou mieux.

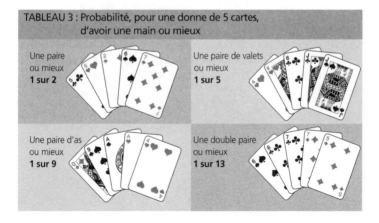

TABLEAU 3 : Probabilité, pour une donne de 5 cartes,
d'avoir une main ou mieux

Une paire
ou mieux
1 sur 2

Une paire de valets
ou mieux
1 sur 5

Une paire d'as
ou mieux
1 sur 9

Une double paire
ou mieux
1 sur 13

→ Le draw poker

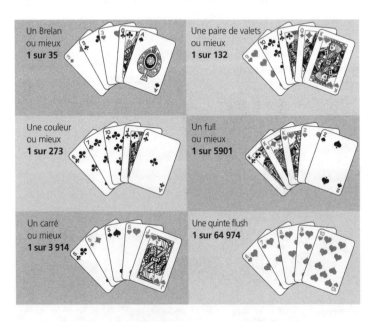

Un Brelan
ou mieux
1 sur 35

Une paire de valets
ou mieux
1 sur 132

Une couleur
ou mieux
1 sur 273

Un full
ou mieux
1 sur 5901

Un carré
ou mieux
1 sur 3 914

Une quinte flush
1 sur 64 974

TABLEAU 4 : Probabilité en pourcentages
        d'avoir la meilleure main de la donne

	Nombre de joueurs						
	2	3	4	5	6	7	8
Paire de valets	79 %	63 %	50 %	40 %	32 %	25 %	20 %
Paire d'as	89 %	79 %	70 %	62 %	55 %	49 %	43 %

Double paire	93 %	86 %	80 %	74 %	68 %	63 %	59 %
Brelan	98 %	94 %	92 %	89 %	87 %	84 %	82 %

TABLEAU 5 : Probabilités d'améliorer une paire en tirant 3 cartes	
N'importe laquelle	2,4 contre 1
Double paire	4,8 contre 1
Brelan	7,7 contre 1
Full	97 contre 1
Carré	359 contre 1

TABLEAU 6 : Probabilités d'améliorer une paire en tirant 2 cartes	
N'importe laquelle	2,8 contre 1
Double paire	4,8 contre 1
Brelan	11,9 contre 1
Full	119 contre 1
Carré	10 809 contre 1

Si on considère que toucher une double paire permet d'avoir une bonne main, puisqu'on peut ainsi gagner ou faire jeu égal 1 fois sur 13, quelle est la chance que cette main soit vraiment la meilleure si on joue à six ? Résultat : on a environ 68 % de chances, soit un peu plus de 2 chances sur 3 d'avoir la meilleure main.

Le tableau 4 nous renseigne sur les chances qu'une main inférieure ou égale à un brelan, touchée du premier coup, a d'être la meilleure et donc de gagner.

Ce tableau nous permet de voir clairement que, si on touche un brelan, la chance pour que ce soit la meilleure main à ce stade du jeu est de 82 % (soit plus de 4 chances sur 5), même si on joue à huit.

Les probabilités d'améliorer
une main au tirage

Plus la main touchée est haute, moins on a de chances de l'améliorer au tirage. Les probabilités d'améliorer un brelan au tirage sont à peine supérieures à 8 contre 1.

Il n'est généralement pas difficile de savoir quel est le nombre de cartes qu'il convient d'écarter. Cependant, de nombreux joueurs s'interrogent sur l'intérêt réel de tirer 2 ou 3 cartes quand on possède une paire. Avec la main suivante : A♠ -10♥ - 3♣ - 3♦ - 2♥, certains joueurs préfèrent garder l'as avec leur paire (dans ce cas, une carte isolée s'appelle « un kicker » – voir ci-contre) plutôt que de conserver leur paire et d'écarter 3 cartes. Les tableaux 5 et 6 montrent les probabilités d'améliorer une telle main en tirant 2 ou 3 cartes. À partir de quoi, la chance d'avoir mieux qu'une paire en tirant 3 cartes est 14 % plus élevée que si on tire seulement 2 cartes. Cependant, plus de 1 fois sur 2, l'amélioration se limite à une double paire (57 % en tirant 3 cartes, 66 % en tirant 2 cartes).

Le kicker*

Voilà pourquoi certains joueurs conseillent de garder 1 carte haute comme kicker plutôt que de l'écarter. Avec la main suivante : A♠ -10♥ - 3♣ - 3♦ - 2♥, un joueur peut écarter 2 cartes pour obtenir une double paire en conservant son as car, s'il touche un as, sa paire la plus haute sera une paire d'as. Ainsi, si la meilleure main est une double paire, il est pratiquement sûr de gagner.

Quand on a une paire, le tableau montre qu'il vaut mieux tirer 3 cartes et non 2 (vu qu'on a tout à y gagner). Toutefois, un bon joueur peut choisir de conserver un bon kicker avec sa paire, de façon à semer le doute parmi ses adversaires quant à ses habitudes. En fait, pour avoir vraiment intérêt à garder un kicker, il vaut mieux que ce soit un as ou un roi.

Améliorer un brelan

Certains joueurs conservent parfois un bon kicker avec un brelan. De fait, s'il y a plus de chances d'améliorer sa main en tirant 2 cartes, les probabilités des tableaux 7 et 8 montrent une réalité plus nuancée.

Ce qui est intéressant ici, c'est de voir qu'en tirant 2 cartes, on augmente en gros de moitié ses chances d'avoir un carré. Toutefois, cette possibilité réduit légèrement les chances de se retrouver avec un full.

C'est donc une question de psychologie. En règle générale, un joueur tire 1 carte pour obtenir une couleur ou une quinte, ou pour transformer une double paire en full. S'il mise gros après le tirage, les autres penseront qu'il a obtenu ce qu'il cherchait ; dans le cas contraire, il y a peu de chances qu'il ait mieux qu'une double paire. Par conséquent, un joueur pourvu d'un brelan qui ne tire que 1 carte et n'obtient rien de mieux peut bluffer en misant gros pour convaincre les autres joueurs qu'il a au moins une quinte.

TABLEAU 7 : Probabilités d'améliorer un brelan en tirant 2 cartes	
N'importe laquelle	8,6 contre 1
Full	15,4 contre 1
Carré de rois	22,5 contre 1

TABLEAU 8 : Probabilités d'améliorer un brelan en tirant 1 carte	
N'importe laquelle	10,8 contre 1
Full	14,7 contre 1
Carré de rois	46 contre 1

Toucher une couleur, une quinte ou un full

Le tableau 9 (voir page suivante) montre les probabilités d'améliorer sa main en touchant une couleur, une quinte ou un full.

On voit qu'on a à peine plus de 1 chance sur 3 d'obtenir une couleur, une quinte, un full ou une quinte flush en ne tirant que 1 seule carte. D'ailleurs, à moins d'avoir 4 cartes consécutives et d'espérer une quinte flush (1 chance sur environ 500), on n'a jamais beaucoup plus que 1 chance sur 5 d'améliorer une main (sans tenir compte de la possibilité d'améliorer une simple paire).

Le tableau 9 montre également qu'avec 4 cartes assorties, on a un peu moins de 1 chance sur 5 d'obtenir une couleur en tirant une seule carte. De même, avec 3 cartes assorties, aucun joueur sensé ne tirerait 2 cartes pour toucher une couleur (seulement environ 1 chance sur 24). Les chances ne sont pas meilleures d'avoir une quinte avec seulement 3 cartes qui se suivent – inutile même d'y songer.

TABLEAU 9 : Probabilité d'améliorer telle ou telle main en tirant une carte

Main de 4 cartes	Amélioration	Probabilités
Bilatérale assortie ouverte aux deux bouts (on peut y ajouter 1 carte à chaque extrémité)	Quinte flush Couleur Quinte N'importe laquelle	22,6 contre 1 5, 8 contre 1 6,8 contre 1 2,1 contre 1
Bilatérale assortie ouverte à un bout ou par le ventre (1 seule carte peut la compléter)	Quinte flush Couleur Quinte N'importe laquelle	46 contre 1 4,9 contre 1 14,7 contre 1 2,9 contre 1
4 cartes assorties	Couleur	4,2 contre 1

TABLEAU 9 : Probabilité d'améliorer telle ou telle main en tirant une carte

Main de 4 cartes		Amélioration	Probabilités
Bilatérale ouverte aux deux bouts (on peut y ajouter 1 carte à chaque extrémité)		Quinte	4,9 contre 1
Bilatérale ouverte à un bout ou par le ventre (1 seule carte peut la compléter)		Quinte	10,8 contre 1
Double paire		Full	10,8 contre 1

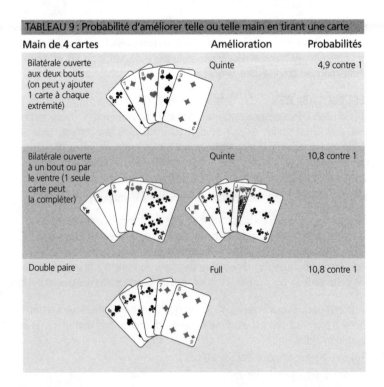

Les chances de remporter le pot

Il faut toujours avoir une bonne idée des chances réelles qu'on a d'améliorer une main au tirage afin de miser en fonction d'une « cote ». Cette cote est le montant qu'on estime gagner, multiplié par la probabilité de le gagner.

LES PROBABILITÉS

Les probabilités s'expriment par un nombre compris entre 0 (l'impossibilité) et 1 (la certitude). Ainsi, quand on joue à pile ou face, chaque probabilité est égale à 0,5. Donc, si on demande à un joueur de miser 10 jetons, en connaissance de cause, pour en gagner 20, le jeu en vaut la chandelle. Le gain est de 20, la probabilité de 0,5, donc la cote est de 20 x 0,5 soit de 10. Comme 10 est la valeur de la mise, le jeu en vaut bien la chandelle.

Voici un exemple un peu plus complexe. Imaginez un jeu de cartes sans figures, avec seulement les as et les cartes de 2 à 10. Vous coupez un jeu préalablement battu et le donneur vous présente la première carte ouverte. Vous êtes assuré(e) de gagner un nombre de jetons équivalent à la valeur faciale de cette carte (1 pour un as, 10 pour un 10). Combien devez-vous miser ?

Admettons que vous essayiez 40 fois et que toutes les cartes soient retournées 1 fois – ce qui est légitime selon la loi des grands nombres. Vous gagnerez donc :
• 4 fois 1 jeton (1 pour chaque as) ;
• 4 fois 2 jetons (pour les 2) ;

• et ainsi de suite jusqu'à 4 fois 10 jetons (pour les 10).

Cela fait 220 jetons et il faut 40 cartes pour les gagner. Pour que le jeu en vaille la chandelle, il faut que vous misiez 5,5 jetons (soit 220/40) à chaque fois pour gagner à long terme. Si vous en misez 6, vous êtes perdant(e).

Toujours se fixer une cote

Il ne faut pas miser si le jeu n'en vaut pas la chandelle. Supposons que vous avez une double paire et que vous pensez gagner avec un full. Le tableau 9 montre que les probabilités sont de 10,8 contre 1, soit presque 11 possibilités de perdre pour 1 de gagner. Vous avez donc 1 chance sur 12 de gagner. S'il y a 60 jetons dans le pot, votre cote est de $60 \times 1 / 12 = 5$. Pour que le jeu en vaille la chandelle, vous ne devez pas suivre s'il faut miser plus de 5 jetons. Considérons les choses autrement : si vous n'avez que 1 chance sur 11 de remporter le pot et que vous devez miser 5 jetons pour suivre, le pot doit contenir au moins 55 jetons pour que vous y ayez intérêt.

Combien faut-il tirer de cartes ?

Pour chaque main comprise entre une paire et 4 cartes consécutives et assorties, le tableau 10 présente le nombre de cartes qu'il faut tirer et les chances d'amélioration en termes de probabilités.

TABLEAU 10 : Nombre de cartes conseillé et chances d'amélioration

Main initiale	Nombre de cartes	Amélioration	Probabilités (1 = 100 %)	Cote approximative (contre 1)
Une paire	3	Double paire	0,171	4,8
		Brelan	0,114	7,7
		Full	0,010	97
		Carré	0,003	359
		N'importe laquelle	0,298	2,4
Une paire avec un as	2	Double paire avec as	0,117	7,6
		Double paire sans as	0,056	17
		Brelan	0,078	11,9
		Full (avec as)	0,003	359
		Full (sans as)	0,006	179
		Carré	0,001	1080
		N'importe laquelle	0,261	2,8
Double paire	1	Full	0,085	10,8

Main initiale	Nombre de cartes	Amélioration	Probabilités (1 = 100 %)	Cote approximative (contre 1)
Brelan	2	Full	0,061	15,4
		Carré	0,043	22,5
		N'importe laquelle	0,104	8,6
Bilatérale ouverte aux deux bouts	1	Quinte	0,170	4,9
Bilatérale ouverte à un bout ou avec un trou	1	Quinte	0,085	10,8

TABLEAU 10 : Nombre de cartes conseillé et chances d'amélioration

Main initiale	Nombre de cartes	Amélioration	Probabilités (1 = 100 %)	Cote approximative (contre 1)
4 cartes assorties	1	Couleur	0,191	4,2
Bilatérale assortie ouverte aux deux bouts	1	Quinte flush	0,043	22,5
		Couleur	0,148	5,8
		Quinte	0,128	6,8
		N'importe laquelle	0,318	2,1
Bilatérale assortie ouverte à un bout ou avec un trou	1	Quinte flush	0,021	46
		Couleur	0,170	4,9
		Quinte	0,064	14,7
		N'importe laquelle	0,255	2,9

TABLEAU 11 : Valeur d'une main pendant le premier tour d'enchères			
Main initiale	Nombre de possibilités	Nombre de meilleures mains	(en %)
Quinte flush	40	0	0
Carré	624	40	0,0002
Full	3 744	664	0,025
Couleur	5 108	4 408	0,170
Quinte	10 200	9 516	0,336
Brelan	54 912	19 716	0,759
Double paire	123 552	74 628	2,872
Paire d'as	84 480	198 180	7,625
Paire de rois	84 480	282 660	10,876
Paire de dames	84 480	376 140	14,473
Paire de valets	84 480	451 620	17,377
Paire de 10	84 480	536 100	20,627
Paires de 9 à 2	675 840	620 580	23,878
Rien	1 302 540	1 296 420	49,882

La valeur d'une main composée d'une seule paire

Nous n'avons pas encore parlé de la valeur d'une main composée d'une seule paire. Comme, juste après la donne, une telle main l'emporte sur la moitié des mains distribuées – et qu'une paire de 10 permet de gagner un peu plus de 1 fois sur 5 –, il ne faut pas négliger la valeur d'une paire unique. Dans le tableau 11, les différentes mains sont classées par ordre décroissant, et leur pourcentage d'être améliorées au tirage est indiqué. Par exemple, ont voit qu'une paire de valets aboutit à une meilleure main dans un peu plus de 17 % des cas (soit moins de 1 fois sur 5), une paire d'as dans moins de 8 % des cas (moins de 1 fois sur 12).

La stratégie avant le tirage

Après la donne, la première décision à prendre est de décider de passer, de dire « Check », de suivre, de miser ou de relancer. Pour cela, il convient bien entendu d'évaluer sa main et de voir quelles sont les cartes qu'il convient d'écarter pour pouvoir rester actif. Ces cartes sont rarement difficiles à déterminer mais, pour ne pas faire comprendre aux autres ce que vous voulez faire, il est très important de ne pas réorganiser son jeu et de ne pas isoler ces cartes en les rangeant d'un côté ou de l'autre. Il n'y a aucune raison de donner trop tôt une information.

Où se placer ?

La place que l'on occupe n'est jamais anodine car elle peut permettre de checker. En fait, la place par rapport au donneur n'est pas sans influence sur la façon de jouer. Imaginez, par exemple, que vous touchiez une main comme V♠ - V♥ - 8♦ - 5♣ - 4♥, donc avec une paire de valets. Regardez le tableau 4 (page 60) et vous verrez qu'à six joueurs vous aurez 32 % de chances d'avoir la meilleure main.

Avec quelles cartes peut-on parler ?

LES REINES

Si on part du principe qu'on peut parler avec une paire de valets quand les enchères n'ont pas encore été ouvertes, quelle main faut-il avoir pour parler après une première mise (si personne n'a relancé) ? Si les enchères sont limitées, on peut généralement parler avec au moins une paire de reines et relancer avec au moins une paire d'as.

LES AS

Comme le montre le tableau 4, c'est bien d'avoir une paire d'as d'entrée, car il y a 62 % de chances que ce soit la meilleure main à ce stade du jeu. Vous êtes sûr(e) de gagner si une paire suffit pour cela, sauf si un autre joueur a aussi une paire d'as. De même, vous êtes presque assuré(e) de gagner s'il suffit d'avoir une double paire et que vous en tirez une. Si vous touchez un troisième as, il faudra au moins une quinte pour vous battre.

Une paire d'as est toujours une bonne chose. On peut aussi suivre avec une paire de rois. Tout dépend de votre audace et de la façon dont vous jaugez vos adversaires.

Si un joueur a déjà misé et qu'un autre a relancé, alors il vous faut au moins une paire d'as pour parler.

Que vous disent les mises de vos adversaires ?

Sauf si quelqu'un a décidé de bluffer, le premier joueur à avoir misé a probablement au moins une paire de valets, et celui qui a suivi au moins une paire d'as.

Suivre ou relancer ?

Vous pouvez en conclure qu'il vous faut au moins une double paire pour suivre et miser au moins 2 autres jetons.

Il serait imprudent de relancer sans avoir un brelan, quel qu'il soit. Si un joueur a misé et que deux autres ont relancé quand vient votre tour de parler, mieux vaut avoir un brelan de valeur moyenne pour suivre et un brelan plus haut (comme un brelan d'as) pour relancer.

Si quelqu'un relance alors que vous avez déjà misé, suivez si vous avez au moins une paire d'as, mais ne relancez pas sans avoir au moins une double paire dont la plus haute est au valet. Si vous avez misé et que deux joueurs ont ensuite relancé, ne parlez pas sans avoir un brelan.

Les joueurs « tight »* et les joueurs « loose »*

Un joueur « tight »

Un joueur « tight » ne mise que quand il a une bonne main. Il peut attendre longtemps que l'occasion se présente.

Un joueur « loose »

Un joueur « loose » est parfois très impatient de parler et mise avec une certaine impétuosité. Un bon joueur doit être conscient des avantages et des faiblesses de ses adversaires et agir en conséquence. Cependant, il ne doit pas en oublier de varier lui aussi son jeu.

Si un joueur a la réputation d'être « tight », à chaque fois qu'il commence à miser, vous pouvez être certain qu'il a une bonne main. Si votre main est moyenne, il est donc inutile de risquer 1 ou 2 jetons : mieux vaut passer rapidement. Quand il est entouré de bons joueurs, un joueur « tight » gagnera donc moins de jetons avec une bonne main que s'il avait auparavant montré un peu plus d'audace en tentant sa chance.

De même, un joueur « tight » qui a la réputation de miser avec 3 cartes assorties ou consécutives pour obtenir une couleur ou une quinte n'intimide personne.

Comme la plupart des parties de poker se jouent entre amis, plus pour s'amuser que pour faire fortune rapidement, les joueurs ont tendance à se montrer plutôt « loose ». C'est bien plus drôle et les pots sont plus conséquents qu'ils ne le seraient dans un cadre plus formel. Dans une telle situation, un joueur « tight » qui pèse trop le pour et le contre avant de se lancer peut devenir insupportable.

Comment perdre rapidement de l'argent

Les tableaux précédents, notamment le tableau 10, présentent les chances d'améliorer une main au tirage. Nous avons certes affirmé qu'il était possible de miser gros sur une main que le tirage permettrait d'améliorer, mais il faut être conscient que c'est également le plus sûr moyen pour un joueur débutant de perdre beaucoup d'argent.

Par exemple, si vous avez en main V-8-7-6-4 assortis, il est parfaitement inutile d'enchérir. La seule chance de toucher beaucoup mieux est d'écarter le valet en espérant tirer un 5 pour avoir une quinte. Mais comme vos chances sont à 11 contre 1, le montant du pot ne justifiera jamais un tel pari. On peut donc déduire de cet exemple qu'il est très dangereux de miser en espérant un tirage très favorable.

La limite du pot

Quand la mise peut être égale au montant du pot (voir page 35), les enchères grimpent rapidement si les joueurs ne cessent de relancer. Il faut alors avoir de meilleures mains que pour surenchérir ou relancer.

Les stratégies générales

Il existe un grand nombre de dictons et de croyances liés au poker. Certains méritent d'être rapportés ici tant ils sont sages et judicieux :

Quand c'est perdu, c'est perdu

Quand un joueur mise en fonction d'une bonne main et qu'il met donc plusieurs jetons dans le pot, il a beaucoup de mal à comprendre qu'il est en fin de compte battu et qu'il ne sert à rien de miser davantage. Il ne faut surtout pas penser : « J'ai mis 20 jetons dans ce pot, je ne vais pas laisser tomber maintenant. Je dois prendre plus de risques pour récupérer ma mise. » En fait, vous devez comprendre que les jetons que vous avez misés ne vous appartiennent plus : ils appartiennent au pot.

C'est en fonction de la somme qu'elle vous permet de gagner réellement qu'une mise doit être qualifiée de « bonne » ou de « mauvaise ». À 3 contre 1 de gagner six fois votre mise, elle est bonne ; à 6 contre 1 pour trois fois votre mise, elle est mauvaise – les chiffres sont têtus et il importe peu de connaître la somme exacte que vous avez misée pour gagner le pot.

Ne pas miser contre un joueur qui n'a tiré que 1 carte

Supposons que vous avez un brelan, que c'est le deuxième tour d'enchères et qu'un autre joueur a tiré 1 carte. C'est à vous de parler. On part du principe que votre adversaire avait une double paire (et qu'il a donc tout à fait pu toucher un full) ou qu'il a tiré 1 carte en espérant obtenir une quinte ou une couleur. Dans tous les cas, comme le montre le tableau 10, il a très peu de chances de réussir, et vous avez donc une meilleure main que lui. Par contre, si par le plus grand des hasards il a amélioré sa main, vous êtes battu(e).

Vous n'avez aucune raison de miser, quelle que soit la carte qu'il a touchée. Vous devez checker et attendre de voir ce qu'il fait. Si vous misez et qu'il n'a pas de quinte ou de couleur, comme sa main ne vaut rien, il passera et vous n'y gagnerez rien. Par contre, vous aurez pris un risque inutile, car, s'il a une quinte ou une couleur, il relancera et vous perdrez. Laissez-le donc jouer. S'il mise, suivez – vous ne risquez pas plus que si vous aviez misé avant lui. Vous ne pouvez pas perdre face à lui s'il n'a pas amélioré sa double paire et s'il a checké au lieu de miser. Vous remporterez le pot, tout en ayant pu gagner 1 ou 2 jetons de plus s'il avait eu l'inconscience de miser.

Que faire avec une double paire ?

Il est courant d'avoir une double paire au poker, mais c'est une main assez difficile à jouer. Le tableau 4 montre que c'est souvent la main la plus haute après la donne, même s'il y a huit joueurs. Par contre, il est très difficile d'obtenir une meilleure combinaison en tirant 1 carte (un peu plus de 10 contre 1). Si une double paire est très souvent la meilleure main avant le tirage, elle ne l'est que rarement après.

Le tableau 12 montre, d'après les calculs effectués par les joueurs de poker, les chances de gagner avec une double paire après le tirage.

Si vous êtes face à plus de trois adversaires, vos chances s'amenuisent progressivement.

TABLEAU 12 : Probabilités de gagner avec une double paire après le tirage	
Nombre d'adversaires	Probabilités de gagner
Un	1 chance sur 3
Deux	Un peu plus de 1 chance sur 2
Trois	6 contre 4

Le bluff

Tant de choses ont été écrites sur le bluff au poker qu'il n'est pas difficile d'en conclure que c'est l'élément le plus important du jeu. Il faut bien plus de talent que de chance pour jouer au poker, car un bon joueur gagne régulièrement et personne n'a suffisamment de chance pour toucher toujours les bonnes cartes. Alors, de quel talent s'agit-il ? D'une supériorité mathématique ou psychologique ? D'un mélange des deux ? En fait, un bon joueur doit réunir ces deux qualités.

Nous avons déjà abordé l'aspect mathématique du poker avec les probabilités d'avoir telle ou telle main puis de l'améliorer au tirage. Il est évident que ce sont des données qu'un bon joueur doit connaître. Il n'est évidemment pas question d'avoir toutes ses données en tête quand on joue, mais il est essentiel de pouvoir les interpréter instinctivement.

Le bluff de Yardley

Un des bluffs les plus extravagants a été exécuté avec brio et de très nombreuses fois par Herbert Yardley, qui le raconte d'ailleurs dans son célèbre livre *The Education of a Poker Player*. Il s'est bâti une réputation de joueur tight en misant uniquement avec de bonnes mains. Au moment opportun, quand il donnait ou était à droite du donneur (et parlait donc en dernier), qu'un ou deux joueurs avaient déjà misé, Yardley relançait, même s'il n'avait rien en main. Quand un joueur qui ne mise qu'avec de très bonnes cartes relance, cela incite les autres joueurs à passer. C'est ce qui se produisait généralement et Yardley raflait la mise. Si un ou deux joueurs suivaient et tiraient des cartes, Yardley (qui parlait en dernier) jouait stand pat.

C'était calculé pour faire croire aux joueurs encore actifs, qui se contentaient en général de checker, que Yardley allait miser le maximum. À en croire Yardley, cela a très souvent suffi pour persuader tous les joueurs (à ce stade du jeu, il n'en reste généralement qu'un) de passer plutôt que de relever le défi, puisqu'ils étaient certains qu'il avait au moins une quinte. Bien entendu, en pratique, il n'avait jamais mieux, par exemple, qu'un simple valet.

Ce bluff marche bien quand les mises ne sont pas limitées (la limite du pot ou sans limite*) puisque c'est le montant de la mise d'un joueur réputé lâche qui dissuade les autres de relever le défi. Dans un jeu avec des mises limitées, un bon joueur peut résister.

La psychologie du bluff

Au poker, le facteur psychologique est la capacité d'étudier la façon de jouer des autres joueurs et d'en tirer des conclusions. Tel adversaire est-il un bon ou un mauvais joueur ? Son comportement ou sa façon de jouer jusqu'à présent vous permettent-ils de déduire la hauteur de sa main ? De même, pouvez-vous l'empêcher d'en savoir autant sur vous par votre comportement et votre façon de jouer ? Pouvez-vous, en bluffant, l'amener à tirer des conclusions erronées sur vous ou sur votre main ?

Il est difficile de dire quel est le talent le plus important dont doit bénéficier un joueur de poker accompli. Il est vrai que, lors de l'abattage, c'est la meilleure main qui gagne. Mais cette main n'a pas forcément toujours été la meilleure au cours des tours précédents. S'il a été bluffé, le joueur avec la meilleure main a passé avant l'abattage.

Le bluff consiste à tromper les autres joueurs sur la valeur réelle de votre main. On peut bluffer de deux façons :

1 On mise gros pour convaincre ses adversaires qu'on a une meilleure main qu'en réalité et que donc, au lieu de suivre, ils feraient mieux de passer et ne pas miser davantage. C'est une bonne façon de gagner avec une main qui ne vaut pas grand-chose.

2 Moins spectaculaire mais plus subtil, vous pouvez tenter de persuader vos adversaires que votre main est moins bonne qu'en réalité. Ils restent donc actifs plus longtemps et misent davantage. Le pot contiendra alors plus de jetons quand, finalement, vous gagnerez lors de l'abattage.

Le premier type de bluff fonctionne mieux avec des limites élevées, car suivre suppose alors de risquer beaucoup de jetons. Dans le cas contraire, un adversaire peut suivre et ruiner votre bluff.

Bluffer avec une bonne main

Quand on a une mauvaise main au draw, il est très difficile de bluffer quand les mises sont limitées. S'il n'y a pas de limites ou si elles peuvent être conséquentes (par exemple, la limite du pot), le montant des enchères peut obliger un joueur timide avec une main gagnante à passer. Par contre, s'il suffit de 2 jetons pour suivre, la plupart des joueurs, quelles que soient leurs mains, suivront pour savoir si vous bluffez ou non.

D'autre part, pour un bon joueur avec une bonne main, le bluff est une arme efficace pour faire augmenter le montant du pot.

Quand faut-il bluffer ?

Malgré l'intérêt manifeste de bluffer, l'influence de la psychologie en général, et le fait que nombre de grands joueurs prétendent que le poker est plus une question de bluff que de probabilités, il n'en demeure pas moins qu'il faut la meilleure main pour gagner si on participe à l'abattage. Dans ce cas-là, le bluff ne sert à rien. Par conséquent, ne bluffez que si vous pensez que ça peut marcher.

Qui bluffer ?

Il est parfois plus facile de bluffer un bon joueur, qui passera s'il pense être battu, plutôt qu'un joueur médiocre, qui se laissera dépasser par les événements. Ainsi, si vous exagérez la valeur de votre main, un mauvais joueur qui perd régulièrement quand il participe à l'abattage, alors qu'il ne peut pas gagner, risquera de vous poser des problèmes en vous contraignant à révéler votre bluff. Si vous persistez à miser envers et contre tout, simplement pour avoir le plaisir de gagner en bluffant, vous êtes quasiment assuré(e) de perdre plus que de gagner.

Dans l'ensemble, il est moins intéressant de bluffer au draw qu'au stud et au hold'em – mais nous en reparlerons…

Variantes du draw poker

Il existe des centaines de variantes du poker. Si la plupart peuvent être écartées parce qu'elles sont bricolées pour rendre le jeu plus attractif – elles ne sont de toute façon pas reconnues par les vrais joueurs –, d'autres sont désormais très prisées. Nous vous proposons ici les variantes les plus populaires...

Le jackpot

Nous le mentionnons en premier car c'est la forme la plus populaire de draw poker, notamment aux États-Unis. De nombreux ouvrages le considèrent comme un poker à part entière et non comme une variante.

La différence avec le jeu que nous avons décrit précédemment est simple : il faut avoir au moins une paire de valets pour ouvrir les enchères. Une fois ces dernières ouvertes, les autres joueurs sont libres d'enchérir, de suivre et de relancer.

Le joueur qui ouvre les enchères doit prouver, le moment venu, qu'il a bien la main exigée pour cela, c'est-à-dire au moins une paire de valets. S'il passe et se retire du jeu avant l'abattage, il doit conserver ses cartes pour en apporter la preuve. C'est la raison pour laquelle il doit aussi conserver les cartes écartées pendant le tirage, puisque rien ne l'empêche en effet de « casser » la combinaison qui lui a permis d'ouvrir pour en écarter 1 ou plusieurs cartes.

Par exemple, si un joueur touche la main ci-dessous, la paire de valets lui permet d'ouvrir les enchères. Au moment du tirage, il peut décider d'écarter le V♣ pour essayer d'obtenir une quinte (avec un autre 10), une quinte flush (avec le 10♦) ou une couleur (avec un autre carreau).

Le tableau 10 (pages 70 à 72) montre qu'il a en gros 1 chance sur 3 d'obtenir une de ces combinaisons et de remporter peut-être le pot. C'est une meilleure option que de tirer 3 cartes en gardant la paire de valets, car il n'a alors que 1 chance sur 75 d'avoir une meilleure main que les précédentes. Cependant, s'il écarte le V♣ sans le mettre de côté, qu'il remporte ou non le pot avec une quinte flush, il ne pourra pas prouver qu'il avait la main exigée pour ouvrir les enchères. Il doit donc conserver la carte écartée, face cachée bien sûr.

Le jackpot progressif

On joue au jackpot progressif exactement comme au jackpot simple, sauf quand la donne passe. C'est également au joueur suivant de donner ; on mise de nouveau l'ante, mais il faut désormais au moins une paire de reines pour pouvoir ouvrir les enchères. Si la donne passe une nouvelle fois, il faut alors au moins une paire de rois, puis une paire d'as si la donne passe encore. Si la donne passe à nouveau, on redescend des rois aux dames et aux valets, puis on remonte éventuellement des dames aux rois et aux as, et ainsi de suite.

Le spit in the ocean

Il existe de nombreuses variantes de cette forme de poker. Le donneur distribue 4 cartes, faces cachées, à chaque joueur puis en dépose 1, face visible, au centre de la table. Cette carte, qui s'appelle « le spit », est commune à tous les joueurs dont elle constitue la cinquième carte de la main.

Toutefois, cette carte – comme les 3 autres de même valeur – fait office de « carte wild » (voir pages 48 à 52). Chaque joueur peut donc en faire la carte de son choix. Par exemple, si la main d'un joueur est A♣ - R♣ - V♣ - 10♣, celui-ci peut considérer que le spit est la D♣ et qu'il a donc une quinte flush royale – la main la plus haute dans la plupart des formes de pokers.

Dans le spit in the ocean, les mains de tous les joueurs se composent donc de 4 cartes plus 1 carte wild. Cependant, comme toutes les cartes d'une même valeur sont alors des cartes wild, un joueur peut avoir 2 cartes wild en main, voire 3.

Il est donc essentiel que les joueurs s'entendent au préalable pour définir les cartes wild. En règle générale, 1 carte wild ne peut pas reproduire 1 carte que le joueur a déjà en main – ce qui rend impossible une main avec 5 cartes de même valeur. En l'absence de règles officielles, c'est la meilleure façon de procéder. Cependant, certains joueurs préfèrent garder la possibilité d'avoir des mains, comme 5 cartes de même valeur, qu'il est impossible d'obtenir sans carte wild (voir pages 48 à 52).

Les joueurs misent un ante avant la donne et il n'y a généralement qu'un tour d'enchères. Le premier joueur à parler est celui placé à gauche du donneur et il peut faire les mêmes choses qu'au draw : checker ou enchérir, puis, une fois les enchères ouvertes, passer, suivre ou relancer. L'abattage a lieu quand les mises sont égales.

Le lowball ou poker inversé

On y joue de la même façon qu'au draw, sans exiger une main minimale pour pouvoir ouvrir, mais avec une grande différence : c'est la main la plus basse qui gagne.

Toutefois, la valeur des cartes est plus simple :

• Il n'y a ni quintes ni couleurs.

• L'as est toujours la carte la plus basse. La meilleure main (5-4-3-2-A) est donc composée des cartes les plus basses ; on l'appelle « la bicyclette ». Comme il n'y a pas de quintes ni de couleurs, elle ne peut pas être comptée comme telles.

• En cas de main dépareillée (soit une main qui n'a ni paire, ni brelan, ni carré), c'est la carte la plus haute qui détermine la valeur de l'ensemble – la deuxième en cas d'égalité.

• 10-7-6-5-A l'emporte sur 10-8-3-2-A, car le 7 est plus bas que le 8.

C'est la même chose pour les paires :

• 8-8-R-5-2 l'emporte sur 8-8-R-6-A mais pas sur 7-7-R-5-2.

Le tableau 13 (page suivante) montre la valeur des cartes au lowball.

Comme au draw standard, il y a deux tours d'enchères et, si nécessaire, on procède à l'abattage.

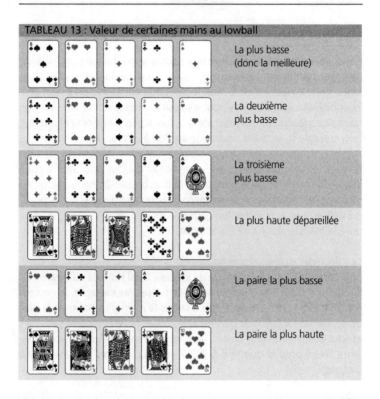

TABLEAU 13 : Valeur de certaines mains au lowball	
	La plus basse (donc la meilleure)
	La deuxième plus basse
	La troisième plus basse
	La plus haute dépareillée
	La paire la plus basse
	La paire la plus haute

Le poker hi/lo

Cette variante aussi intéressante que populaire du draw est un mélange de poker standard – c'est la main la plus haute qui gagne lors de l'abattage – et de lowball – c'est la main la plus basse qui gagne. Un joueur peut jouer high et low, c'est-à-dire pour les deux à la fois (il est possible, comme nous allons le voir, qu'une main soit à la fois la plus haute et la plus basse, bien que cela se produise davantage au stud à 7 cartes hi/lo).

Pendant les tours d'enchères, personne ne sait qui joue pour avoir la main la plus haute et qui joue pour avoir la plus basse. On ne le sait qu'au moment de l'abattage. À ce moment-là, le pot est divisé entre le joueur qui gagne l'une et le joueur qui gagne l'autre. S'il reste 1 jeton, c'est celui qui a la main la plus haute qui le reçoit.

La valeur des mains les plus hautes est la même qu'au poker standard, celle des plus basses la même qu'au lowball. C'est pour ça qu'il est possible qu'une main soit à la fois haute et basse. Par exemple, la couleur A♥ - 8♥ -5♥ - 3♥ - 2♥ peut être à la fois la main plus haute et la plus basse, car au lowball (voir plus haut) les couleurs ne comptent pas et les as sont les cartes les plus basses. Au lowball, la main 8-5 est même excellente. *Idem* pour la quinte 6-5-4-3-2 – mais c'est très rare au draw à 5 cartes.

Au moment de l'abattage, les joueurs disent s'ils jouent pour la main la plus « haute » (*high*), la plus « basse » (*low*) ou les deux (hi/lo, abréviation de « *high/low* »). Le plus simple est qu'ils placent discrètement dans une main 1 jeton de la couleur choisie pour chaque type de main.

Si l'abattage se joue entre deux joueurs qui jouent pour une main différente, le pot est automatiquement réparti entre eux.

Si deux joueurs jouent high et qu'un autre joue low, ce dernier remporte automatiquement la moitié du pot, alors que l'autre moitié revient à celui des deux premiers qui a la main la plus haute.

Si un joueur joue pour les deux, il doit gagner les deux – si sa main gagne l'une et pas l'autre, il perd, et le pot est divisé entre les autres joueurs comme s'il n'était pas actif. Ainsi, si un joueur dit jouer pour les deux mais ne gagne qu'avec la main la plus haute (et vice versa), celui qui a la main la plus basse reçoit la partie du pot qui lui revient, et *idem* pour celui qui a la main la plus haute.

Le choix du donneur

C'est l'une des variantes du poker les plus populaires quand on joue chez soi entre amis. Quand vient son tour de donner, chaque joueur choisit la forme de poker qui lui plaît. Cela assure une certaine diversité et permet de réfléchir différemment d'une partie sur l'autre. Mieux vaut tout de même ne pas y jouer de façon continue.

Le stud poker

Dans le stud poker, contrairement au draw poker, il n'y a pas de tirage et la plupart des cartes sont distribuées ouvertes.

Le stud à 5 cartes

Cette forme la plus simple de stud se compose de quatre tours d'enchères. Comme la plupart des cartes sont distribuées ouvertes et que les joueurs savent donc à peu près ce que les autres ont en main, tout est une question de stratégie.

Comme il n'y a pas de tirage, on peut y jouer jusqu'à dix – toutefois, si dix joueurs participent à l'abattage, cela veut dire que 2 cartes seulement ne seront pas utilisées. C'est bien entendu peu probable, mais il n'en reste pas moins que, compte tenu du nombre de cartes en jeu, les joueurs réfléchiront plus longtemps et la partie pourra s'avérer ennuyeuse. Aussi est-il préférable d'être entre six et huit, même si moins il y a de joueurs et plus cette forme de poker est intéressante. Une partie entre deux joueurs peut être pleine de rebondissements, comme en témoigne le film *Le Kid de Cincinnati*.

Les préliminaires

On joue dans le sens des aiguilles d'une montre, et il faut également définir au préalable la durée, les limites des enchères, les places des joueurs,
le premier donneur et les règles particulières.

L'ante

En règle générale il n'y en a pas, mais rien n'empêche de se mettre d'accord pour qu'il y en ait.

Les enchères et les limites

Pour limiter les enchères, le plus simple est de fixer au préalable le montant de chaque mise. La mise minimale est généralement de 1 jeton et il
faut 2 jetons pour suivre et relancer pendant les trois premiers tours d'enchères, puis 5 jetons pour le dernier tour.

Le cas échéant, on décide habituellement qu'une mise maximale de 5 jetons
devient possible dès qu'un joueur a une paire ouverte, c'est-à-dire une paire
qui a été distribuée face visible – ce qui peut arriver dès le deuxième tour
d'enchères.

Une autre façon de limiter les enchères est de fixer la mise maximale à 1
jeton au premier tour, à 2 au deuxième, à 3 au troisième et 4 au quatrième.
En règle générale, on décide aussi qu'il est possible de miser 4 jetons dès
qu'un joueur a une paire ouverte.
Comme au draw, jouer avec la limite du pot permet de miser au maximum
un montant égal au pot.

Parlons « poker »

Paire ouverte : une paire distribuée à un joueur face visible.
Carte fermée : une carte distribuée à un joueur face cachée.

La partie

1 Une fois les cartes battues et coupées, le donneur distribue à chaque joueur 1 carte face cachée (la « carte fermée ») puis 1 carte face visible. Les cartes fermées le restent toutes jusqu'à l'abattage.

2 On passe alors au premier tour d'enchères. C'est le joueur dont la carte ouverte est la plus haute qui parle en premier. Il n'a pas d'autre choix que de miser dans les limites imposées, car il ne peut ni checker ni se coucher. Si plusieurs cartes ont la même valeur, c'est le joueur assis le plus près sur la gauche du donneur qui parle en premier. Ensuite, les joueurs peuvent passer, suivre ou relancer. Le tour d'enchères se termine quand les mises de tous les joueurs actifs sont égales.

3 Le donneur distribue ensuite à chaque joueur actif 1 deuxième carte ouverte.

4 On passe au deuxième tour d'enchères. C'est le joueur dont la main est la plus haute (sans la carte fermée, bien sûr) qui parle en premier. À ce stade, un joueur ne peut avoir mieux qu'une paire, suites et couleurs n'étant pas prises en compte. Si plusieurs joueurs ont une paire, c'est celui qui a la plus haute qui parle en premier (A-2 l'emporte sur R-D). Si plusieurs joueurs ont une paire de même valeur, c'est celui assis le plus près sur la gauche du donneur qui commence.

Pendant le deuxième tour d'enchères et les suivants, le joueur qui parle en premier peut checker. Tant que personne ne mise, tous peuvent faire de même. Par contre, dès qu'un joueur a misé, tous doivent passer, suivre ou relancer. Le tour d'enchères se termine quand toutes les mises sont égales. Si tous les joueurs checkent au cours de l'un de ces tours, la partie continue.

5 Après le deuxième tour d'enchères, les joueurs reçoivent 1 troisième carte ouverte.

6 Lors du troisième tour d'enchères, c'est le joueur dont la main est la plus haute qui parle en premier (brelan, paire ou carte la plus haute).

7 Après ça, les joueurs reçoivent leur dernière carte ouverte.

8 Enfin, il y a un quatrième et dernier tour d'enchères.

L'abattage

S'il ne reste qu'un joueur actif (tous les autres ont donc passé), c'est lui qui remporte le pot. S'il en reste au moins deux à l'issue du quatrième tour, chacun doit alors montrer sa carte fermée au moment de l'abattage. C'est celui qui a la main la plus haute qui remporte le pot.

Les obligations du donneur

Les responsabilités du donneur sont importantes. Au début de chaque tour d'enchères, il désigne le joueur qui parle en premier en montrant sa main et en précisant de quelle carte ou combinaison il s'agit (« Paire de 4 », etc.). Quand il distribue les troisième et quatrième cartes ouvertes, il indique si ces cartes peuvent permettre d'obtenir une quinte ou une couleur. Ainsi, s'il donne en troisième carte le 6♥ à un joueur qui a 10♣ et 9♦, il dit « Quinte possible » ; s'il donne le V♦ à un joueur qui a 4♦ et 2♦, il dit « Couleur possible ». Il peut aussi annoncer les paires.

Il doit également s'assurer qu'un joueur qui passe ne montre pas sa carte fermée. Le joueur qui passe doit impérativement retourner ses cartes ouvertes sur sa carte fermée. Une carte fermée peut être primordiale pour un autre joueur et donc modifier radicalement la façon de jouer de celui-ci. On peut décider au préalable qu'un joueur qui passe sans retourner ainsi ses cartes écopera d'une pénalité ; par exemple, de 2 jetons.

Si le donneur se trompe, les autres joueurs peuvent le faire remarquer. Au début d'un tour d'enchères, si le donneur se trompe en désignant le joueur qui doit parler en premier, son erreur peut être relevée et rectifiée. Par contre, si deux joueurs ont déjà parlé alors que ce n'était pas leur tour, les enchères se poursuivent sans qu'il soit nécessaire de les recommencer.

La stratégie

Dans un stud à 5 cartes, la plupart des joueurs ont pour règle de ne pas enchérir s'ils n'ont pas une main meilleure que celle qu'ils voient sur la table, quelles que soient les possibilités que leur offre cette main.

Il s'ensuit que, si un joueur a au départ un as devant lui et se voit donc obligé d'enchérir, tous les autres doivent se coucher s'ils n'ont pas au moins un as comme carte fermée. C'est d'une logique mathématique, mais il est bien évident qu'on n'arriverait jamais à l'abattage si cette règle était respectée et que le jeu serait sans grand intérêt. Aussi, faut-il savoir s'autoriser quelques libertés pour que le premier à enchérir ne soit pas systématiquement celui qui remporte le pot. Si vous ne prenez pas de risques pour miser, vous serez vite considéré(e) comme un joueur tight et personne ne vous invitera à jouer.

Le stud à 5 cartes hi/lo

Les règles ne changent pas : tous les joueurs reçoivent 1 carte fermée puis 4 cartes ouvertes, et il y a quatre tours d'enchères. La valeur des mains est la même qu'au draw poker hi/lo (voir page 92). Au moment de l'abattage, les joueurs choisissent une couleur de jetons et disent s'ils jouent pour avoir la main la plus haute ou la plus basse.

UNE MAIN DE POKER CÉLÈBRE : *LE KID DE CINCINNATI*

La main de poker la plus célèbre est sans doute la dernière d'une partie de stud à 5 cartes dans *Le Kid de Cincinnati*. Dans ce film, Steve McQueen (le Kid) affronte Edward G. Robinson (Lancey Howard), le champion que tous les joueurs veulent battre.

Voici leurs mains respectives après la troisième donne. Les enchères ne sont pas limitées et le pot se monte à 250 $. Le Kid, qui a une paire ouverte, doit parler en premier comme il le fait depuis le début. Il est en bonne position*. Il a probablement la main la plus haute, car Lancey ne peut avoir mieux qu'une paire de 8. Le Kid mise 500 $ pour remporter le pot. Logiquement, Lancey devrait passer. Pourquoi miser 500 $ de plus alors que le Kid est le mieux placé ? Il décide non seulement de suivre mais aussi de relancer de 300 $.

Qu'est-ce qui est raisonnable ? Il n'y a pas de réponse. Comme sa carte fermée est le V♦, il peut espérer avoir une couleur, une quinte (et donc une quinte flush) ou une paire de valets pour battre la paire de 10 du Kid. Ses chances d'avoir une couleur ou une quinte sont très faibles. Il lui faut d'abord un 10, mais il n'y a que 1 chance sur 11 car le Kid en a déjà deux ouverts. Ensuite, il n'a que 1 chance sur 126 d'avoir un 9 pour compléter sa main. Quant à la couleur, il n'a environ que 1 chance sur 24 de l'obtenir. Dans une telle situation, personne ne devrait jouer comme il le fait, à commencer par lui. Mais il le fait. Ce qui n'est d'ailleurs pas une critique de Richard Jessup, l'auteur du livre ; sans quoi il n'y aurait pas d'histoire.

Le Kid relance aussitôt de 2 000 $. Que peut-il faire d'autre ? Lancey devait s'y attendre. Il suit.

Le pot se monte maintenant à 5 850 $. C'est vraisemblablement son montant maximal et Lancey joue comme un novice.

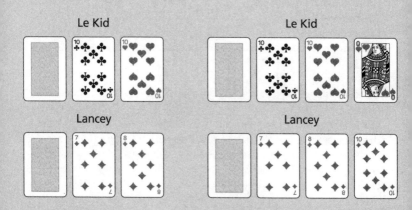

Le Kid	Le Kid
Lancey	Lancey

Lancey touche le 10♦ (il avait 2 chances sur 45 de tirer le 10♦ ou le 9♦), le Kid la D♥. Nous devons maintenant connaître la carte fermée du Kid, car elle est décisive. C'est la D♦ : le Kid a donc une double paire. En servant Lancey, le donneur annonce « Quinte flush possible ».

Le Kid

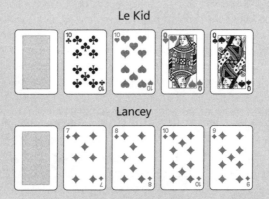

Lancey

La situation n'est plus du tout la même, essentiellement parce que Lancey a eu une chance incroyable. Bien entendu, le Kid a toujours de fortes probabilités de gagner. Il mise 1 000 $.

C'est sans doute une erreur, car il n'a pas énormément augmenté le pot et Lancey peut suivre en misant seulement 1 000 $. De son point de vue (n'oublions pas qu'il ne connaît pas la carte fermée du Kid), Lancey a maintenant un peu moins de 1chance sur 4 d'obtenir une quinte ou une couleur. S'il gagne, il remportera 6 850 $ (en supposant que le Kid n'a pas de full). Au fil des tours, ses chances de gagner sont passées de 1 sur 8 à 1 sur 4 ; il a donc raison de suivre. Le pot se monte à 7 850 $.

Le Kid aurait pu lui rendre les choses plus difficiles en misant davantage : par exemple, 5 000 $. Le pot serait passé à 10 850 $ et la position de Lancey aurait été très différente, car il aurait alors dû miser 5 000 $ pour pouvoir gagner. Il aurait eu à peine plus de 1 chance sur 3, au lieu de 1 sur 4. Même dans ce cas, le plus raisonnable serait de se coucher.

Les mains définitives sont, bien sûr, hautement improbables, mais c'est l'histoire qui veut ça. Le Kid a obtenu un full (compte tenu des cartes déjà distribuées, il n'avait que 1 chance sur 15) et Lancey a touché une quinte flush (1 chance sur 44). Lancey sait qu'il a gagné. Le Kid le pense aussi, car il suffit que la carte fermée de Lancey soit le 6♦ ou le V♦ pour cela. En outre, la façon dont ce dernier a misé confirme que sa carte fermée doit être le 6♦. Le Kid n'en mise pas moins ses derniers 1 400 $. Lancey relance également avec tout ce qu'il lui reste, soit 4 000 $. Le Kid signe une recon- naissance de dette pour suivre et Lancey découvre le V♦ fatal.

C'est une belle histoire, mais elle n'est pas très instructive car aucun des deux n'a bien joué. Si vous misez avec 1 chance sur 44 de gagner, vous allez vous retrouver sur la paille très rapidement.

Le stud à 7 cartes

Cette forme de poker a toujours été plus populaire au Royaume-Uni que le stud à 5 cartes. Comme elle l'est aussi devenue aux États-Unis, c'est vraisemblablement la variante la plus jouée actuellement entre amis. Chaque joueur doit se composer la meilleure main possible en utilisant 5 des 7 cartes dont il dispose.

Les 2 cartes supplémentaires, connues du seul joueur qui les détient, permettent d'obtenir de meilleures mains et de faire grimper les enchères. En théorie, on ne peut y jouer à plus de sept, car il faut alors donner 49 cartes si tous les joueurs participent à l'abattage. On peut toutefois y jouer à huit, car certains joueurs passent et tous n'arrivent pas à l'abattage.

Les préliminaires

Il faut définir au préalable la durée, les places, le joueur qui donne en premier, les limites des enchères et éventuellement des règles particulières. On joue dans le sens des aiguilles d'une montre et il y a cinq tours d'enchères.

L'ante

Il n'y en a généralement pas car les mises sont conséquentes.

Les enchères et les limites

Mieux vaut limiter les mises, mais sur une base qui n'a rien de figé :

1 Limiter chaque mise à 1 ou 2 jetons.

2 Limiter toutes les mises entre 1 et 5 jetons.

3 Limiter les mises des trois premiers tours d'enchères (les joueurs actifs n'ont alors pas plus de 5 cartes en main) à 1 ou 2 jetons, puis les augmenter jusqu'à 5 jetons pour les deux derniers tours.

Contrairement au stud à 5 cartes, l'usage n'est pas d'augmenter les mises dès qu'il y a une paire ouverte car, dans cette variante, les cartes ouvertes sont moins décisives puisqu'il y a 2 cartes fermées.

La donne

Une fois les cartes battues et coupées, le donneur distribue à chaque joueur 1 carte face cachée, 1 deuxième face cachée, puis 1 troisième face visible. Les joueurs regardent leurs cartes.

La partie

Le joueur qui a la carte la plus haute doit ouvrir le premier tour d'enchères. Ensuite, les autres joueurs se couchent, suivent ou relancent. Quand toutes les mises sont égales, chaque joueur encore actif reçoit 1 deuxième carte face cachée. C'est le joueur avec la main la plus haute qui ouvre le deuxième tour d'enchères mais, contrairement au stud à 5 cartes, il peut désormais checker.

À chaque tour, comme au stud à 5 cartes, le donneur doit désigner le joueur qui ouvre les enchères. De même, à partir du troisième tour d'enchères, il doit annoncer au fur et à mesure les possibilités de chacun d'avoir une couleur ou une quinte.

Après le troisième tour d'enchères, les joueurs encore actifs (qui ont alors 5 cartes) reçoivent 1 sixième carte face visible. Après le quatrième tour, ils reçoivent 1 septième carte, face cachée cette fois.

Les joueurs regardent leur dernière carte (sans la montrer aux autres), puis on commence le cinquième et dernier tour d'enchères. À ce moment-là, les joueurs encore actifs ont 7 cartes : 3 fermées et 4 ouvertes.

L'abattage
Si au moins deux joueurs sont encore actifs à la fin du cinquième tour d'enchères, on procède à l'abattage. Chaque joueur montre ses 3 cartes fermées et, à partir de ses 7 cartes, compose sa meilleure main possible. C'est celui qui a la plus haute qui remporte le pot.

La stratégie

Au stud à 7 cartes, la première décision est sans doute primordiale. Il s'agit en fait de décider de se coucher ou non dès le premier tour d'enchères, quand on a 3 cartes dont 2 fermées. Il faut alors visualiser le type de main qu'on peut obtenir, tout en regardant les cartes ouvertes des autres joueurs, pour savoir si on en a besoin ou pas pour cela. Il est bien sûr indispensable d'avoir de vraies possibilités d'avoir une bonne main – une double paire de valeur moyenne ne suffit généralement pas pour gagner. Continuer à jouer sans savoir clairement où l'on va, juste en espérant que la prochaine carte nous aidera, est la meilleure façon de miser pour finalement être obligé de se coucher.

Aussi, qu'est-ce qu'une main prometteuse ? En fait, il faut envisager cinq combinaisons :

1 Le brelan. C'est la meilleure main potentielle, car il permet d'espérer un full ou un carré. Il ne faut surtout pas relancer trop tôt, mais se contenter de suivre. Vous devez essayer de cacher votre jeu le plus longtemps possible avant de relancer.

2 La paire. Ce peut être une paire haute, telle une paire de figures, ou une paire plus basse mais accompagnée d'un as ou d'un roi. Il est important de se souvenir des cartes qui ont été distribuées pour savoir celles que vous pouvez espérer. À la cinquième carte, mieux vaut s'arrêter si l'on n'a pas au moins une double paire, et se méfier si l'une des paires ouvertes est plus haute que les vôtres.

3 3 cartes assorties. On peut avoir une couleur, mais il faut se coucher si la main ne s'améliore pas avec la quatrième ou la cinquième carte. C'est trop risqué d'espérer toucher 2 bonnes cartes sur 2.

4 3 cartes qui se suivent. C'est prometteur, mais inutile d'insister si la cinquième ne vous apporte pas une bilatérale. Méfiez-vous des trous ; ils sont très dangereux car très difficiles à combler.

5 2 ou 3 cartes hautes – comme A-D-V ou A-R-6. Passez si la quatrième carte ne vous apporte pas de paire, car 4 cartes ne servent alors pratiquement à rien.

Ces cinq combinaisons sont de bons points de départ, mais elles ne doivent pas vous empêcher de voir que vous pouvez faire autre chose. Par exemple, si vous avez devant vous A♥ - 4♥ et que vos cartes fermées sont A♣ - 5♥ - 6♥, vous avez certes une paire mais aussi la possibilité d'obtenir une couleur, une quinte, un full ou une quinte flush. Cela vaut la peine de miser pour avoir 1 autre carte.

Comment enchérir

Si vos 2 cartes fermées vous permettent d'espérer une main gagnante, commencez par miser modérément – vous ne devez surtout pas prendre le risque de décourager les autres joueurs en leur faisant comprendre que vous avez un bon jeu.

Si vos cartes ouvertes révèlent une paire haute (par exemple, une paire d'as), vous pouvez relancer comme si cette paire vous permettait d'avoir un brelan. Cela peut décourager les joueurs qui espèrent un brelan plus bas ou ceux qui semblent essayer d'obtenir une quinte.

Soyez attentif(ve) aux cartes ouvertes pour essayer d'évaluer la force de vos adversaires. Même si votre main est bonne, si vous êtes certain(e) qu'un autre joueur a mieux, n'hésitez pas à vous coucher pour limiter vos pertes.

Le stud à 7 cartes hi/lo

Cette variante du stud est l'une des plus intéressantes, car elle garantit des enchères élevées et de nombreux rebondissements. On y joue comme au stud à 7 cartes, sauf que la septième carte permet au joueur qui joue à la fois high et low d'avoir un jeu pour gagner sur les deux tableaux. La valeur des mains qui sont à la fois high et low est la même qu'au draw poker hi/lo (voir page 79), et les joueurs font également connaître leur choix au moment de l'abattage avec des jetons de couleur.

La stratégie

Il faut être prudent quand on joue à cette variante du stud à 7 cartes. Il faut éviter de jouer trop longtemps en cherchant à gagner sur les deux tableaux, toujours dans l'attente de 1 ou 2 cartes pour avoir une main imbattable alors que les chances en sont très faibles.

Il est préférable de décider dès le début de jouer high ou low en fonction des premières cartes, et de se coucher si ça ne donne rien. On peut avoir deux mains en une. Mais il est suicidaire de continuer à miser simplement parce qu'une main offre les deux possibilités.

Il vaut mieux miser modestement si vous attendez 1 ou plusieurs cartes bien précises. Par contre, si cela semble le cas de votre adversaire, qui cherche par exemple à combler un trou, n'hésitez pas à miser fortement.

Le stud lowball

Qu'il soit à 5 ou à 7 cartes (le nombre de cartes importe peu), le stud peut se jouer lowball. La valeur des mains est la même qu'au draw poker lowball (voir page 90) : couleurs et quintes ne comptent pas ; la main la plus basse est 4-4-3-2-A.

On y joue comme au stud standard, sauf que c'est le joueur qui a la carte ou la main la plus basse qui ouvre les enchères.

Comme les mains sont peu diversifiées, cette variante est moins intéressante qu'un stud standard ou hi/lo.

Le but est de n'avoir pas plus haut qu'une paire.

Le stud à 7 cartes anglais

Quand tous les joueurs ont reçu 5 cartes (2 fermées et 3 ouvertes) et misé entre chaque donne, les joueurs encore actifs peuvent écarter 1 carte. S'ils écartent une carte ouverte, ils reçoivent 1 carte ouverte – et inversement, pour conserver le même nombre de cartes fermées et ouvertes. Après un nouveau tour d'enchères, ils peuvent de nouveau écarter 1 carte dans les mêmes conditions. On passe ensuite au dernier tour d'enchères. Les joueurs peuvent jouer stand pat, sans changer de carte, et n'écarter aucune carte lors des deux derniers tours, mais un joueur qui joue stand pat au sixième tour doit faire de même au septième.

Le stud mexicain ou flip

On distribue les 2 premières cartes faces cachées, puis chaque joueur choisit d'en découvrir 1 et de garder l'autre fermée. Tous les joueurs le font en même temps pour que le choix des uns n'affecte pas le choix des autres.

Lors des tours suivants (il y en a généralement cinq ou sept), le donneur distribue les cartes faces cachées. Tous les joueurs regardent leur nouvelle carte, puis la découvrent ou l'échange avec leur carte fermée en découvrant leur carte fermée précédente. Ils le font en même temps pour la même raison. Chaque donne, à partir de la deuxième, est suivie d'un tour d'enchères

PREMIÈRE DONNE Les joueurs découvrent généralement leur carte la plus basse.

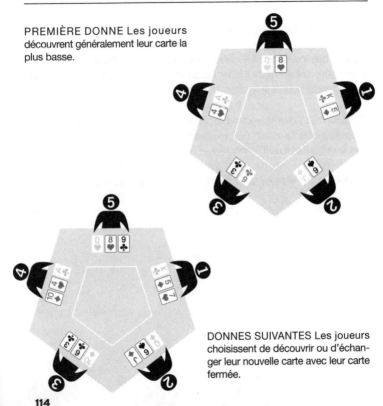

DONNES SUIVANTES Les joueurs choisissent de découvrir ou d'échanger leur nouvelle carte avec leur carte fermée.

Les variantes secondaires

Ces variantes consistent en général à changer le nombre de cartes distribuées, le nombre de cartes ouvertes ou fermées, et l'ordre dans lequel ces dernières sont distribuées.

Le premier tour d'enchères se déroule toujours après que 1 carte ouverte a été distribuée, les autres après chaque donne. Dans tous les cas, les joueurs choisissent 5 cartes pour se composer la meilleure main possible.

Le stud à 5 cartes
Dans cette autre variante du stud à 5 cartes, la dernière carte est distribuée face cachée. La donne s'effectue donc ainsi : 1 carte fermée, 3 ouvertes, 1 fermée.

Le stud à 6 cartes
La donne s'effectue ainsi : 1 carte fermée, 4 ouvertes, 1 fermée.

Le stud à 8 cartes
La donne la plus fréquente est : 2 cartes fermées, 4 ouvertes, 2 fermées ; mais parfois : 2 fermées, 4 ouvertes, 1 fermée, 1 ouverte.

Le stud à 9 ou 10 cartes

On y joue rarement. Dans les deux cas, on donne 2 cartes fermées, 4 ouvertes et les autres fermées – la dernière est de préférence ouverte.

Les cartes wild au stud

Les cartes wild peuvent être utilisées comme dans les autres formes de pokers, mais c'est assez rare car sans grand intérêt.

Les autres formes
de poker

Le texas hold'em

Parfois appelé tout simplement « hold'em », c'est sans doute la forme de poker la plus connue, probablement parce qu'on y joue lors du championnat du monde de poker : les célèbres World Series du casino Binion Horseshoe de Las Vegas, retransmises à la télévision américaine depuis les années 1980 (on y joue aussi dans toutes les étapes du World Poker Tour). Si vingt-deux joueurs sont censés pouvoir s'affronter, on y joue en réalité rarement à plus de huit.

Les grandes lignes du jeu

Le but est d'avoir la meilleure main à partir de 2 cartes qu'on détient en propre et de 5 cartes communes placées au centre de la table. On est libre de composer sa main avec les cartes de son choix, qu'elles soient ouvertes ou fermées. Quand on utilise les 5 cartes ouvertes, on « joue le tableau », mais il est impossible de gagner puisque tous les joueurs peuvent faire de même.

À la télévision et dans la plupart des casinos, on fait appel à un croupier pour éviter aux joueurs de distribuer. On fait alors circuler un pion, appelé « le bouton », autour de la table pour indiquer le joueur qui est censé donner, puisque la donne fait partie intégrante du jeu. Dans certains casinos étrangers, après avoir battu et coupé les cartes, on « brûle » généralement la première carte du paquet (on l'écarte sans la montrer), au cas où un joueur l'aurait vue, ou si la carte est marquée au dos.

Les mises forcées

Les joueurs ne misent pas d'ante mais, avant la distribution des cartes, les deux premiers joueurs assis à gauche du donneur mettent chacun une mise forcée. La première mise forcée ou « blind » représente un pourcentage de la mise minimale autorisée (généralement la moitié ou un tiers) et la seconde ou « surblind » est en règle générale la mise minimale.

Quand les mises ont été versées au pot, le donneur distribue 2 cartes, faces cachées, à chaque joueur. Les joueurs regardent leurs cartes.

1 C'est le joueur assis à la gauche de celui qui a misé le surblind qui ouvre le premier tour d'enchères. Il peut enchérir, relancer ou passer, mais il ne peut pas checker puisque deux joueurs ont déjà misé. Les autres joueurs ont les mêmes choix, y compris ceux qui ont versé les mises forcées. Ces deux derniers peuvent relancer en augmentant leurs mises initiales respectives, à condition bien sûr qu'un joueur ait enchéri auparavant.

2 Quand toutes les mises sont égales, le donneur brûle de nouveau la première carte puis distribue à la table 3 cartes ouvertes : le « flop »*. Ces cartes (plus les 2 qui suivront) sont les « cartes communes » car elles sont communes à tous les joueurs.

3 Contrairement au draw, ce n'est pas le premier joueur à avoir misé qui ouvre le deuxième tour d'enchères, mais le joueur actif qui est assis le plus près du donneur et sur sa gauche. C'est la même chose pour les tours suivants.

4 Après ce deuxième tour d'enchères, le donneur brûle 1 nouvelle carte et distribue à la table 1 quatrième carte ouverte : la « turn ». Distribuée après le tour d'enchères suivant et 1 nouvelle carte brûlée, la cinquième carte ouverte s'appelle la « river ».

5 Il y a un dernier tour d'enchères, puis on procède à l'abattage.

Les mises minimales et maximales

Que vous jouiez au casino ou chez vous entre amis, il est habituel de limiter les mises. Au casino, par exemple, le blind peut être de 1 jeton, le surblind généralement de 2, voire de 3, les enchères suivantes et les relances de 3. Une fois que les cartes ouvertes ont été distribuées, enchères et relances peuvent être comprises entre 6 jetons minimum et la limite autorisée par le casino. Les mises ne sont pas limitées dans les jeux télévisés, car tous les joueurs commencent avec le même nombre de jetons et la partie s'achève quand le gagnant a ruiné tous les autres.

Chez soi, nous conseillons des mises forcées de 1 et 3 jetons. Comme ces mises tiennent lieu d'enchères, il est indispensable que tous les joueurs puissent miser 3 jetons pour suivre au premier tour. 3 jetons suffisent donc pour enchérir et relancer, et les mises peuvent aller jusqu'à 10 jetons, puis passer par exemple à 20 après la distribution du flop. Les enchères sont ainsi limitées tout en laissant une réelle liberté de bluffer. On peut aussi jouer en pot limit, la mise maximale pouvant alors être égale au montant du pot.

La stratégie

Les 2 premières cartes distribuées faces cachées sont primordiales. Comme toutes les cartes de la table sont communes à tous les joueurs, ce sont ces 2 cartes fermées qui font en définitive la force ou la faiblesse d'une main. La première décision est donc la plus importante.

Les cartes fermées*

Comme les combinaisons possibles avec 2 cartes sont plus que limitées, elles ont été soigneusement étudiées et classées. En 1976, dans son livre *Hold' Em Poker*, David Sklansky en a classé quelques-unes. Une démarche que les joueurs apprécient à sa juste valeur.

La paire d'as est incontestablement la meilleure main avec 2 cartes fermées. Comme il n'y a que 1 chance sur 221 d'en avoir une, cela signifie que 1 donne sur 220 en moyenne vous donnera la première main la plus prometteuse.

Après les as, les meilleures combinaisons de 2 cartes sont les paires de figures (R-R, ou D-D, ou V-V), puis un as avec un kicker haut (A-R ou A-D).

Les paires

Les paires sont des combinaisons précieuses, car elles offrent toujours la possibilité d'avoir un brelan grâce au flop. En moyenne, on touche une paire toutes les dix-sept mains, et une paire se transforme en brelan grâce au flop environ 1 fois sur 8.

Leur valeur est plus aléatoire, car, parmi les paires fortes, il y a une énorme différence entre une paire d'as et une paire de rois ou de dames. Les paires de valets, de 10 et de 9 sont considérées comme moyennes, celles de dessous comme basses.

L'as avec un kicker haut

Une paire basse ou moyenne est bien moins intéressante qu'un as avec un kicker haut – par exemple, as-roi ou as-dame – surtout si ces 2 cartes sont assorties. Ainsi, si vous avez as-roi et que le flop propose un as ou un roi, vous avez soit la paire la plus haute – puisque avec deux as le roi est le kicker le plus haut –, soit une paire de rois avec le kicker le plus haut. Il faut alors un brelan, une quinte ou une couleur pour vous battre. La combinaison as-dame peut être battue s'il y a un as dans le flop et qu'un autre joueur a as-roi. Un as avec un kicker moyen (V, 10 ou 9) est une bonne main, mais vous pouvez être battu(e) par un as avec un kicker plus haut. En dessous, les combinaisons as-valet ou as-10 sont moins intéressantes qu'une paire de valets ou de 10.

L'as avec un kicker bas

Un as avec un kicker bas non assorti n'est pas vraiment une bonne main – c'est en fait moins intéressant qu'une combinaison qui permet d'envisager une couleur ou une quinte. Par contre, un as avec un kicker assorti est nettement plus intéressant car on peut alors espérer une couleur à l'as. Par exemple, si vous avez A-3 assortis et que le flop propose au moins 3 cartes assorties, vous aurez la couleur la plus haute – et une couleur à l'as peut être le nuts, la meilleure combinaison possible. Avec R-3, vous courez le risque d'être battu(e) par une couleur à l'as.

Les cartes hautes isolées

Même si elles peuvent être les plus fortes avant le flop, des mains avec seulement une figure ou un 10 peuvent se révéler sans intérêt par la suite, surtout si elles ne sont pas assorties. Ainsi, si vous avez un roi et un valet, vous n'aurez la paire la plus haute que s'il y a un roi sur la table – le valet ne peut vous le garantir. Plutôt qu'une paire basse, il vaut mieux avoir valet et 10 assortis – ce qui constitue un début de couleur ou de quinte. Si vous avez 1 carte inférieure au 9 et qu'elle n'est pas assortie à un as, votre main n'a qu'une valeur très relative.

La couleur et la quinte

Quintes et couleurs permettent certes de gagner, mais si vous n'avez que 2 cartes assorties ou consécutives, vous n'êtes pas au bout de vos peines puisqu'il vous en faut 5. On appelle « main de tirage » une main qui doit être améliorée pour gagner. Bien sûr, si les cartes se suivent en étant assorties, c'est encore mieux. Les combinaisons assorties comprises entre 9-8 et 5-4 valent à peu près autant qu'une paire basse. Il est inutile de tenter trop longtemps sa chance avec des cartes assorties qui ne peuvent pas être intégrées dans une quinte : par exemple, 9-4 ou 10-2. Si vos cartes se suivent sans être assorties, la meilleure étant toujours la plus haute, votre main vaut moins qu'une paire basse si vous n'avez pas au moins un valet ou une dame.

Les autres combinaisons

Si vous avez 2 cartes moyennes ou basses (en dessous du valet), non assorties et non consécutives (valet-4 ou 9-6), vous ne devez pas hésiter à passer. Pour autant, cela ne veut pas dire que toutes les autres mains méritent de miser. Par exemple, inutile de risquer 1 jeton avec 7-6 non assortis ou 3-2 assortis.

La place des joueurs

La place d'un joueur par rapport au donneur est très importante. Plus vous êtes sur la droite de celui-ci, mieux c'est, car il y a moins de joueurs à parler après vous. Parce qu'il parle toujours en dernier (sauf au premier tour où c'est le joueur qui mise le surblind), le donneur a la meilleure place.

Supposons que vous ayez A-10 : vous suivez si vous êtes après le joueur qui mise le surblind. Un autre joueur relance, un autre encore suit et vous suivez de nouveau. Le flop apporte 9-6-4 – ce qui ne vous aide en rien. Alors vous checkez et les deux autres enchérissent. Le mieux est maintenant de passer, car l'un de vos adversaires a sans doute une paire et l'autre A-R. En revanche, si vous êtes le dernier des trois à parler et que les autres checkent, c'est autre chose. Si vous enchérissez, cela peut les obliger à se coucher. Parler dans les premiers exige d'avoir une meilleure main.

La stratégie avant le flop

Si vous êtes un joueur serré, vous pouvez de n'enchérir qu'à partir d'une paire, ou 2 cartes dont un 10, ou un as assorti. Un joueur loose enchérira avec 2 cartes plus petites si elles sont consécutives et assorties, comme 8♣ - 7♣. N'oubliez pas qu'il faut avoir une meilleure main pour parler le premier que pour parler le dernier car, lors des tours suivants, vous devrez parler avant de sérieux adversaires et donc prendre de difficiles décisions.

La stratégie après le flop

C'est au flop que tout se joue : une bonne paire de cartes fermées peut se révéler sans valeur, une main moyenne peut devenir très forte.

Si le flop ne vous apporte rien
Il est vraiment conseillé de se coucher si le flop ne vous permet pas d'améliorer votre main, quelle que soit la valeur de celle-ci : c'est râpé.

Si le flop améliore un peu votre main
Supposons que vous vous retrouvez en tout et pour tout avec une paire moyenne, mais sans la possibilité d'avoir par la suite une couleur ou une quinte. Là aussi, il est préférable de passer.

Supposons que vous avez 9♣ - 8♣. Le flop est 9♥ - A♦ - V♣. Vous avez donc une paire de 9 et la possibilité d'avoir une couleur (il manque deux trèfles), une quinte (un 10 avec une D ou un 7), un brelan de 9, etc. Cependant, si les autres enchérissent, c'est qu'il doit déjà y avoir une paire d'as ou de valets. Si la turn* est une dame et qu'il y a ensuite enchère et relance, allez-vous risquer plusieurs jetons en espérant que la river soit un 10 ?

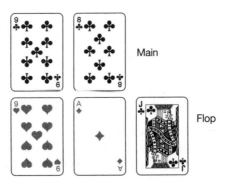

Main

Flop

Dans l'ensemble, il n'y a aucun intérêt à enchérir en espérant avoir une couleur, une quinte ou une paire si le flop propose une carte plus haute, surtout si les enchères ne sont pas limitées ou à la limite du pot. Pourquoi devoir miser beaucoup pour suivre avec une telle main ?

De même, n'oubliez jamais que les cartes communes ne vous appartiennent pas en propre. S'il y a une paire d'as dans le flop, tous les joueurs ont la paire la plus haute, et peut-être quelqu'un a-t-il déjà une double paire. Si vous avez V♥ - 10♥ et que le flop est A♣ - A♦ - 4♣, vous avez bien peu de chances d'avoir la main la plus haute.

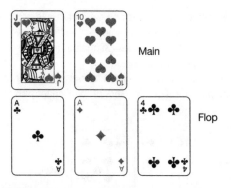

Main

Flop

Si le flop améliore vraiment votre main

Ceci dit, n'hésitez surtout pas à enchérir si le flop se révèle intéressant. Ainsi, si vous avez misé avec une paire de 9 et que le flop est 9-D-2, cela vaut la peine de prendre des risques.

Supposons que vous avez A-R et que le flop propose un as : l'occasion est excellente. Vous avez la paire la plus haute avec le kicker le plus haut ; votre position est donc très favorable. Il faut un brelan ou une double paire pour vous battre.

Il en va de même si vous avez une paire et que le flop ne propose pas de carte plus haute que celles qui composent votre paire (vous avez, par exemple, D-D et le flop est 9-6-V). Sauf si quelqu'un d'autre a une paire d'as ou de rois, vous devez avoir la paire la plus haute. Ce n'est pas une raison pour miser trop fortement, car la turn et la river peuvent apporter un as ou un roi et votre paire de dames ne sera probablement plus la plus haute.

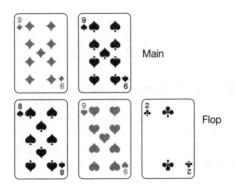

De même, rien n'est gagné si vous avez une paire fermée moyenne et que le flop vous permet d'obtenir un brelan. Les autres cartes du flop peuvent être décisives. Si vous avez une paire de 9 et que le flop est A-D-9, l'as et/ou la dame peuvent très bien apporter un brelan plus haut que le vôtre ou – ce qui est plus probable – une paire que pourrait transformer en brelan la turn ou la river. Par contre, votre position est bien meilleure si le flop est 8-9-2, surtout si les cartes ne sont pas assorties, car vous avez sans doute la meilleure main à ce stade de la partie. Vous avez alors tout intérêt à enchérir. Il est peu probable qu'un de vos adversaires ait un brelan plus haut ou une couleur, car personne ne peut encore avoir 4 cartes assorties. Vous avez bien plus de chances de gagner que de perdre.

Supposons que vous avez une paire de 4 et que le flop soit R-7-7. Vous avez donc une double paire – ce qui est prometteur. N'oubliez pourtant pas que tous vos adversaires ont également une paire de 7. Si l'un d'eux a un roi, vous ne pourrez gagner qu'avec un full ou un carré. Il faut pour cela que la turn ou la river vous apporte un 4. En fait, le flop n'améliore pas beaucoup votre main.

Maintenant, supposons la combinaison suivante : vous avez 10♦ - 9♦ et le flop est 9♣ - R♥ - 10♠. Vous avez sans doute la meilleure main et les choses se présentent bien mieux, même si rien n'est gagné. Si l'un de vos adversaires a R-10 ou R-9, vous allez presque certainement perdre. Avec D-V, vous pouvez aussi avoir une quinte contre vous. En outre, même si l'un de vos adversaires n'a que l'un des deux, il a 2 chances d'avoir une quinte. Cette main vous permet cependant de relancer, en espérant dissuader tout le monde – mais pas celui qui a une paire de rois. Le cas échéant, si ce dernier a un 6, il vous faudra absolument toucher un full pour gagner.

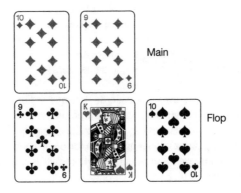

La turn

C'est en général la dernière carte capable de changer radicalement les choses, car les mains des joueurs encore actifs ne s'améliorent ensuite que très rarement. Il faut surtout se méfier d'une éventuelle couleur, un risque réel si le tournant apporte au flop 1 troisième carte assortie. Si votre adversaire checke, il peut avoir une couleur, mais aussi bluffer pour vous faire enchérir. Le mieux est de checker. S'il enchérit, il vous faut alors trancher. Si tel est le cas, tout dépend de ce que vous savez l'un de l'autre et de votre propre façon de jouer – d'autant qu'il se demande exactement la même chose. Allez-vous essayer de le bluffer ?

La river

La situation n'est pas différente de la précédente : soit votre main est bonne, soit elle ne l'est pas. Bien sûr, il est toujours possible de toucher une couleur ou une quinte « en backdoor »*, c'est-à-dire quand la turn ou la river permet de compléter une main par hasard. On se retrouve alors avec une main inattendue et les enchères retrouvent un nouveau souffle.

C'est le genre de miracle qui surprend même les joueurs les plus avertis. Au cours d'une partie télévisée, un joueur qui avait « fait tapis » et avait donc misé tous ses jetons se leva et serra la main de son adversaire, pensant qu'il avait perdu. Il ne s'était pas rendu compte que la river venait de lui donner une quinte gagnante. Il a bien sûr pu continuer, car ce sont les cartes qui comptent et non une erreur d'inattention.

Le bluff

Quiconque a déjà regardé une partie télévisée de hold'em a pu voir ce que bluffer veut dire. En effet, certains gagnants n'ont pas toujours la meilleure main – ce qui est possible car les enchères ne sont pas toujours limitées. D'une part il y a les mises forcées, d'autre part les enchères ne cessent de croître tout au long de la partie. Le joueur qui a le moins de jetons est presque contraint d'enchérir car, s'il reste un tour ou deux sans le faire, tous ses jetons passent dans les mises forcées. Il est donc parfois obligé de bluffer. De même, quand le nombre de jetons d'un joueur se réduit de façon dramatique, les autres ont tendance à le bluffer car ils savent qu'il est de plus en plus réticent à enchérir s'il n'a pas une bonne main.

L'omaha

Cette forme de poker est de plus en plus populaire et on y joue sans doute presque autant qu'au stud à 7 cartes et au texas hold'em. De nombreux ouvrages de référence publiés avant les années 1980 n'en parlent pas, car le phénomène est très récent. Son succès réside dans le grand nombre de cartes dont dispose un joueur à la fin, nombre qui accroît considérablement les possibilités d'avoir une très bonne main.

Les grandes lignes du jeu

L'omaha est très proche du texas hold'em. En fait, le joueur y dispose de davantage de cartes fermées et donc de plus de cartes pour composer sa main finale.

1 Après avoir battu et coupé les cartes, brûlé la première carte du paquet, on distribue à chaque joueur 4 cartes faces cachées. Il y a un ante (tout le monde y contribue ou deux joueurs versent un blind et un surblind ou autre), les joueurs regardent leurs cartes et le premier tour d'enchères commence.

2 On distribue à la table 3 cartes communes (le flop) ouvertes, puis le deuxième tour d'enchères commence.

3 On distribue à la table la quatrième carte commune (le turn) ouverte, puis commence le troisième tour d'enchères.

4 On distribue à la table la cinquième et dernière carte commune (la river) ouverte, puis commence le quatrième et dernier tour d'enchères.

5 On procède à l'abattage et le joueur qui a la main la plus haute gagne. On joue donc à l'omaha comme au texas hold'em, mais chaque joueur possède 9 cartes (ses 4 cartes fermées plus les 5 cartes communes) au lieu de 7. Cependant, les mains finales doivent se composer obligatoirement de 2 cartes fermées et de 3 cartes communes.

Cette différence, apparemment insignifiante, explique que l'omaha est plus complexe que le texas hold'em. Il faut en effet connaître et envisager toutes les combinaisons possibles avant d'enchérir.

Un exemple de main (1)
Dans la main ci-après (p. 138), les cartes fermées permettent d'envisager une couleur à cœur, à l'as – 3 des cartes communes doivent être des cœurs.

Après le flop, c'est toujours envisageable mais il y a aussi une possibilité de quinte, avec un 9 ou un 6. La turn anéantit l'espoir d'une couleur mais permet d'avoir une quinte. Cependant, la river apporte un cinquième pique, donnant ainsi par backdoor une couleur à la dame.

Il n'est pas rare d'avoir une couleur ou une quinte car, par exemple, si les 5 cartes communes proposent 3 cartes assorties, il suffit qu'un joueur en ait 2 autres pour pouvoir se composer une couleur.

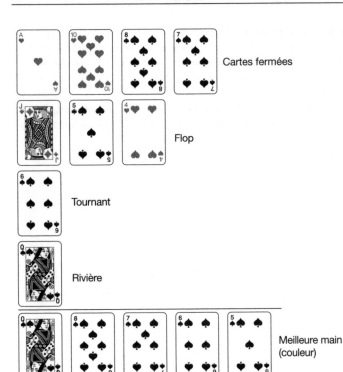

Cartes fermées

Flop

Tournant

Rivière

Meilleure main
(couleur)

Un exemple de main (2)

La main ci-après (p.140) se compose d'un brelan de 10 et d'un as. Il est toutefois impossible d'avoir un carré ou un full, car les trois 10 sont des cartes fermées et ne peuvent donc pas être utilisés ensemble. En fait, une paire de 10 serait plus intéressante qu'un brelan. Le flop apporte un as mais, le brelan étant impossible, il faut se contenter d'une double paire, dont une d'as – ce qui permet rarement de gagner à l'omaha. Il reste la possibilité d'avoir une couleur à cœur, à l'as. La turn ne change rien, mais la river apporte un troisième as.

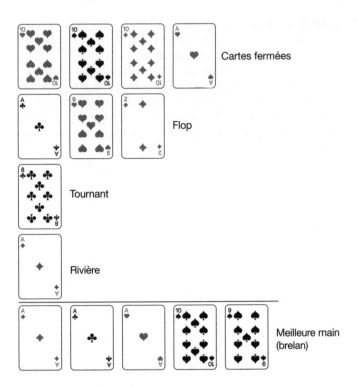

Cartes fermées

Flop

Tournant

Rivière

Meilleure main
(brelan)

Malgré un brelan d'as et un brelan de 10, il est toujours impossible de composer un full. En outre, comme on ne peut pas utiliser plus de 2 cartes fermées, le brelan d'as ne peut être complété que par un seul 10. Le brelan d'as est donc la meilleure main possible, mais la combinaison ci-dessous n'est pas forcément gagnante, même si les cartes communes assurent que personne n'a de couleur (il n'y a pas 3 cartes assorties) ni de quinte (il n'y a pas 3 cartes consécutives ou assez proches). En effet, comme tous les joueurs peuvent utiliser les deux as des cartes communes, cette main peut être battue par un full si l'un des joueurs a le quatrième as avec un 9, un 8 ou un 2 pour former la paire décisive.

La stratégie

Il est primordial de savoir reconnaître et composer une bonne main. En effet, contrairement au texas hold'em où il s'agit avant tout d'évaluer une main de 2 cartes avant le flop, il est impossible d'évaluer avec une réelle précision une main de 4 cartes, dont seulement 2 devront en fin de compte être utilisées. On ne peut que reconnaître ce qu'est une bonne d'une mauvaise main.

Une bonne main se compose de 4 cartes qui s'harmonisent et donnent ainsi la possibilité d'avoir différentes mains grâce au flop.

Tel est le cas de la main ci-dessous. Selon le flop, elle offre plusieurs possibilités :
• Un brelan ou un carré d'as.
• Six quintes différentes à partir de 2 cartes : D-9-8, 9-8-7, R-D-V, A-R-D, D-R-10 ou R-D-9.
• Deux couleurs à l'as – en fait, il s'agirait de couleurs nuts. Il ne peut en effet y avoir deux couleurs différentes à l'omaha, puisqu'il faut obligatoirement 3 cartes assorties parmi les 5 des cartes communes et qu'il est impossible d'avoir deux fois 3 cartes assorties avec 5 cartes.

Des enchères agressives

Une bonne main exige des enchères agressives. En règle générale, la meilleure tactique pour remporter le pot consiste davantage à obliger ses adversaires à se coucher plutôt que de les amener à miser le plus de jetons possible. En effet, plus un adversaire a de cartes et plus il peut améliorer sa main et ses possibilités de l'emporter.

Avant le flop, la meilleure main possible est d'avoir deux fois 2 cartes assorties, ces 4 cartes se suivant ou formant deux paires. La main ci-dessous en est un bon exemple. Si 1 ou 2 cartes n'ont rien de commun avec les autres (ni valeur, ni couleur), la main n'est pas bonne. Comme on ne peut utiliser que 2 cartes fermées sur 4, une paire d'as est indiscutablement meilleure qu'un brelan. Si on a trois as, comme on ne peut en utiliser que deux, seul le quatrième permet de pouvoir réellement avoir un brelan.

Après le flop, il faut envisager tous les brelans, fulls, couleurs ou quintes possibles. à défaut d'en être certain, il faut savoir en gros combien de chances on a d'obtenir telle ou telle main avec telle ou telle parmi les cartes communes. Si vous avez un brelan avec deux reines sur la table, n'oubliez jamais que cela peut aussi être le cas pour l'un de vos adversaires. Si vous avez une paire d'as en plus, c'est parfait. Par contre, si vous n'avez pas mieux qu'un valet et un 7, méfiez-vous.

L'omaha à 5 et 6 cartes

Qu'il soit à 5 ou 6 cartes, l'omaha se joue comme ci-dessus, mais chaque joueur reçoit 5 ou 6 cartes fermées au lieu de 4. Les possibilités d'avoir de bonnes mains sont encore plus nombreuses puisqu'un joueur dispose de 10 ou 11 cartes (une main doit toujours se composer de 2 cartes fermées et de 3 cartes communes).

Il existe également des variantes lowball et hi/lo. Dans la variante lowball, c'est la main la plus basse qui gagne. Comme dans les autres variantes lowball décrites précédemment, les couleurs et les quintes ne comptent pas, et la main la plus basse est 5-4-3-2-A.

L'omaha 8 ou, mieux, hi/lo

Il s'agit d'une variante bien particulière. Lors de l'abattage, le pot est partagé entre le joueur qui a la main la plus haute et celui qui a la main la plus basse. Il n'est pas nécessaire de préciser pour quelle main on joue, et on peut jouer sur les deux tableaux. Par exemple, à condition toutefois que chaque main se compose de 2 cartes fermées et de 3 cartes communes, un joueur peut se composer deux mains de valeur différente et utiliser ainsi jusqu'à 10 cartes.

Le poker

Le « 8 » fait référence à l'obligation de n'avoir dans sa main aucune carte d'une valeur supérieure à 8 pour pouvoir jouer pour la main la plus basse. Dans l'exemple ci-dessous, le joueur 2 a la main la plus haute : un brelan de 4 (il ne peut se composer un full avec une paire d'as puisqu'il ne peut pas utiliser plus de 2 cartes fermées). Le joueur 1 n'a pas plus haut qu'une paire d'as, mais il a la main la plus basse : 7-5-4-2-A (il doit se servir de l'A♣ pour ne pas utiliser plus de 2 cartes fermées). Le joueur 2 ne peut pas jouer low car sa carte la plus haute est forcément la dame. Si aucun des joueurs ne peut jouer low, le joueur avec la main la plus haute remporte la totalité du pot.

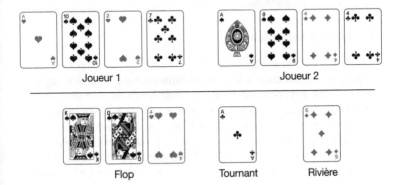

Joueur 1   Joueur 2

Flop   Tournant   Rivière

Le sens du poker

Vous trouverez dans cette dernière partie quelques précisions sur le bluff, que nous avons déjà abordé en plusieurs occasions, et sur quelques usages.

Le bluff

La réputation du poker est étroitement associée au bluff et les joueurs novices croient trop souvent qu'on ne peut gagner sans bluffer. À la télévision, on voit que les gros coups de bluff réussissent, que cela semble simple. Quand on commence à jouer, on a tendance à trop bluffer ou à le faire au mauvais moment, et on se rend rapidement compte que les adversaires ne se laissent pas prendre si facilement.

Il est vrai que le poker est le seul jeu de cartes à accorder une telle importance au bluff, à l'aspect psychologique des différents éléments d'une partie. Par « psychologie », il faut comprendre la capacité à « lire » ses adversaires afin d'interpréter et d'anticiper leur façon de jouer. Bien sûr, c'est bien plus facile à faire avec des joueurs que l'on connaît depuis longtemps et avec lesquels on a l'habitude de jouer. On est mieux à même de savoir s'ils peuvent bluffer. Mais le poker ne se résume pas au bluff. Le meilleur bluffeur du monde ne peut pas gagner constamment en se contentant simplement de bluffer. Le bluff n'est pas imparable mais, utilisé à bon escient, il peut rapporter gros.

Comme nous l'avons déjà vu, il y a deux stratégies :

1 Faire croire à ses adversaires qu'on a une meilleure main qu'eux.

2 Faire croire à ses adversaires qu'on a une main moyenne.

Dans le premier cas, il s'agit d'éviter l'abattage. Vous misez de façon conséquente pour obliger votre adversaire à passer. Il a peut-être la meilleure main, mais c'est vous qui gagnez. Comme vous ne montrez pas votre main, il ne peut pas savoir si vous avez bluffé ou non.

Les manœuvres psychologiques

Quand un bluff a réussi, il arrive parfois qu'on veuille que l'adversaire le sache. On entre ainsi dans le domaine psychologique : l'adversaire ne devrait pas savoir qu'il a été bluffé, mais vous montrez votre main et il constate de lui-même. Vous vous abstenez ensuite de bluffer pendant un certain temps, en attendant de toucher une main vraiment bonne. Le cas échéant, vous espérez que votre adversaire, se souvenant du bluff dont il a été victime et ne voulant pas que ça se reproduise, enchérira pour vous amener à l'abattage. Mais cette fois, vous avez une bonne main et vous remportez un pot plus important qu'il ne devrait l'être.

Ce qu'il faut connaître quand on envisage de bluffer

LE NOMBRE DE JOUEURS
Plus le nombre de joueurs actifs est important, plus il est difficile de réussir un bluff. Si vous êtes face à trois adversaires et que vous en découragez deux mais que le troisième remporte le pot, vous ne pouvez pas dire que votre bluff a réussi aux deux tiers car vous n'avez pas remporté les deux tiers du pot.

LA POSITION
Il est indispensable de rappeler que la position de chacun est importante. Si vous êtes « under the gun », tous les joueurs doivent encore parler. Il est alors très difficile de réussir un bluff.

Par contre, si vous parlez en dernier et qu'un seul joueur a enchéri, une relance maximale peut le convaincre de passer, et vous remportez le pot sans rien en main.

À titre d'exemple, supposons que vous jouez au jackpot, que vous avez une paire de 4 et que vous êtes le dernier à parler avant le tirage. Vous n'avez plus qu'un adversaire, qui doit avoir au moins une paire de valets puisqu'il a enchéri. Supposons que vous relancez et qu'il suive :

1 Il écarte 3 cartes (ce qui suggère qu'il a une paire).

2 Vous en écartez 1 (vous pouvez avoir une double paire ou espérer une couleur ou une quinte).

3 Il enchérit et vous relancez au maximum. S'il n'a toujours qu'une paire (il avait 1 chance sur 3 d'améliorer sa main), va-t-il risquer un nombre conséquent de jetons pour suivre ? Va-t-il au contraire passer en pensant que vous avez touché une couleur, une quinte, voire un full ou, au pire, que vous restez avec une double paire ?

Quand on bluffe pour pousser un adversaire à passer, il faut être prêt à relancer pour l'obliger à surenchérir pour savoir si vous bluffez ou non. Il ne suffit pas de se contenter de suivre pour cela.

QUAND BLUFFER ?
Vous avez saisi l'occasion de bluffer votre adversaire et vous l'avez contraint à prendre une décision. Bien entendu, il faut pour cela estimer auparavant les chances réelles qu'un adversaire a de passer. Certains joueurs, généralement pas les meilleurs, craignent tellement de perdre en étant bluffés qu'ils suivent dans presque tous les cas. Ils perdent souvent et beaucoup – ce qui ne vous consolera pas si vous avez bluffé et perdu dans une telle situation. Les joueurs novices répugnent particulièrement à être bluffés et n'hésitent pas à suivre – ce qui est toujours très énervant, alors que des joueurs plus avertis acceptent d'être bluffés à l'occasion.

Des jeux pour bluffer

Il est bien plus facile de bluffer quand les enchères sont à la limite du pot ou non limitées. Supposons que les enchères sont limitées à 5 jetons, que le pot en contient 100, et que vous misez ou relancez de 5. Compte tenu du pot, le bluff a bien peu de chances de réussir s'il suffit de 5 jetons pour suivre. La tranquillité d'esprit mérite bien 5 jetons pour savoir à quoi s'en tenir. Toutefois, certains joueurs ne se risqueront pas et passeront le reste de la semaine à se demander s'ils ont eu raison ou tort…

En fait, le meilleur conseil est de toujours enchérir dans le but de remporter le pot. Bluffez à dessein, pas à défaut.

Avant de bluffer, il convient donc de prendre en compte le montant du pot. Quand les enchères sont limitées, le pot est plus élevé et il est plus difficile de réussir un bluff. Le mieux est par conséquent de se débarrasser le plus tôt possible de ses adversaires, surtout au stud.

Quand les enchères s'accroissent progressivement et qu'elles ne sont pas limitées, comme au hold'em ou à l'omaha, le joueur qui voit son tas de jetons diminuer a tendance à bluffer. S'il attend une bonne main, il perd de plus en plus de jetons au fur et à mesure des mises forcées. Comme il sera éliminé s'il n'enchérit pas, il finit tôt ou tard par faire tapis en misant tous les jetons qui lui restent sur une seule main. S'il ne peut pas attendre d'avoir une bonne main, il mise tout sur une mauvaise. Si l'un de ses adversaires suit car il voit clair dans son jeu, il ne lui reste qu'à espérer dans sa chance et voir les dernières cartes ouvertes transformer sa mauvaise main en main gagnante. Le poker devient alors particulièrement fascinant : tout est suspendu au bluff du joueur et à la façon dont les autres réagissent.

Bluffer pour perdre

Certains joueurs recommandent de bluffer en prévoyant de perdre, pour convaincre ses adversaires qu'on est un joueur lâche et les amener à enchérir la fois suivante, alors qu'on a une main gagnante. Cela ne semble pas très utile. Vous raterez suffisamment de bluffs en espérant les réussir pour ne pas en perdre davantage « délibérément ». Au contraire, d'autres joueurs préconisent de ne continuer à enchérir que si vous pensez que votre main est meilleure que celles de vos adversaires. Mais dans ce cas, il n'y a plus vraiment de raisons de bluffer pour perdre.

Bluffer pour cacher une bonne main

Le second type de bluff consiste à faire croire à ses adversaires qu'on a une plus mauvaise main qu'eux, afin d'augmenter le montant du pot. Cela peut se révéler très efficace, surtout si les enchères sont limitées, pour remporter un pot intéressant. Il faut donc enchérir modérément, se contenter de suivre si on peut relancer, pour ne pas décourager ses adversaires.

- Si vous êtes certain(e) d'avoir la meilleure main, il faut tout faire pour éviter que vos adversaires passent.
- Si vous enchérissez trop et trop souvent, le danger est réel de voir vos adversaires passer et de remporter un pot moins important que celui que vous souhaitez.
- Si vous enchérissez trop timidement et que personne ne relance, vous ne tirerez pas non plus le meilleur parti de votre main.

Il n'y a pas de solution miracle. Il faut se fier à son propre jugement et évaluer ses adversaires en fonction de leurs enchères.

Un dernier conseil

Un dernier mot sur le bluff. À en croire un très vieil adage, il est plus facile de bluffer des bons joueurs que des mauvais. Si vous avez une mauvaise main mais que vous jouez comme si vous en aviez une excellente, un bon joueur s'en apercevra et passera, alors qu'un mauvais joueur n'y verra que du feu et suivra, déjouant ainsi vos plans. Il n'y a aucun intérêt à essayer de bluffer un mauvais joueur (c'est même dangereux) sur lequel vous l'emporterez de toute façon.

Les principaux usages du poker

Le poker est riche en émotions car d'importantes sommes d'argent peuvent changer de main très rapidement. Aussi, au temps de la conquête de l'Ouest, les six-coups résonnaient-ils parfois. Pour ne pas en arriver à de telles extrémités, certains usages doivent être respectés. En voici quelques-uns ci-dessous :

- Tout ce qui se fait doit être visible par tous.
- Chaque joueur est responsable de ses cartes et de ses jetons (son argent) qui doivent toujours être visibles.
- Un joueur ne doit pas montrer ses cartes à un joueur qui a passé, ni les soustraire à la vue des autres joueurs. Quand elles ne servent pas, elles doivent être posées sur la table, face cachée. De même, les jetons (ou l'argent) doivent toujours être sur la table.
- Un joueur ne doit pas toucher les cartes ni les jetons d'un autre joueur.
- Les joueurs ne doivent pas écarter de cartes ou montrer que telle est leur intention, quand ce n'est pas à leur tour de jouer.
- Les joueurs ne doivent pas enchérir quand ce n'est pas leur tour, puisque cela peut amener les autres à changer d'avis.
- Un joueur qui écarte 1 ou plusieurs cartes doit s'assurer que les autres ne les voient pas.
- Un joueur ne doit jamais montrer ses cartes aux autres, sauf au moment de l'abattage. Si, après l'abattage, un joueur qui a passé et n'y a donc

pas pris part ressent le besoin (souvent par énervement) de montrer ses cartes, tous les joueurs doivent alors voir son jeu.

- Un joueur ne doit pas parler de ce qu'il fait ou de ce que les autres font, même s'il a passé.

- Il n'est pas fair-play de faire des remarques trompeuses. Dire quelque chose comme « Je ne risque pas grand-chose avec un as » alors qu'on a un brelan de rois équivaut pour beaucoup à tricher – mais certains considèrent que ça fait partie du bluff.

- Un joueur ne doit pas parler de ce qu'il a fait quand la partie est terminée. L'usage n'est pas de décrire son jeu a posteriori – les autres ne sont pas censés s'y intéresser. En outre, on ne commente pas le jeu d'un autre joueur, pas plus qu'on ne lui donne de « bons » conseils.

- Il est dans la logique des choses de dire au donneur qu'il a fait une erreur, mais sans le critiquer.

- Les cartes écartées doivent être discrètement passées au donneur, pas jetées au-dessus de la table (avant tout pour que personne ne les voie).

- Un joueur qui fait tapis doit l'annoncer pour que les autres, notamment le donneur, le sachent. Le donneur doit l'annoncer à tous.

- Un joueur qui fait tapis – ce qui entraîne un pot parallèle – ne doit pas montrer ses cartes avant l'abattage. Cela pourrait faire changer d'avis les joueurs encore actifs.

- Quand on enchérit, la mise doit être clairement annoncée. Cela évite de dire quelque chose, d'attendre, mine de rien (la tête dans ses jetons), une réaction et d'adapter le montant ou la nature de sa mise en conséquence. Les enchères imprécises sont des « mises coupées » et sont interdites. On peut demander à leur auteur d'enchérir plus vite et plus clairement.

- Quand on met des jetons dans le pot, il faut le faire de façon rigoureuse pour que le montant soit bien visible. Il ne s'agit pas de mettre le pot sens dessus dessous pour brouiller les cartes.

- Un joueur doit se comporter de la même façon avec tous les joueurs. Il est hors de question d'enchérir en fonction du ou des joueurs contre lesquels on joue.

- Il n'est pas fair-play de regarder ses cartes trop longtemps avant de parler à chaque tour d'enchères. Certains casinos limitent ce temps de réflexion à 2 minutes, par exemple – ce qui peut être fait entre amis avec l'accord de tous. Ce temps doit être respecté avec rigueur et non en fonction de l'idée qu'un joueur se fait du temps imparti.

- Si un différend surgit, les joueurs doivent se ranger à l'avis de la majorité.

Miser sur une certitude

Certaines écoles considèrent qu'il n'est pas fair-play de continuer d'enchérir quand on sait qu'on a une main imbattable (une quinte flush royale au draw ou la meilleure main en associant cartes fermées et ouvertes au hold'em ou à l'omaha). C'est une façon de faire valoir l'argument selon lequel on vole autrui quand on mise dans de telles conditions.. D'un autre côté, est-ce toujours du poker si on ne peut exploiter une telle main ? Après tout, nul n'est tenu de surenchérir.

Glossaire

Abattage Les joueurs actifs montrent leurs cartes pour déterminer le vainqueur.

Actif Continuer à prétendre au pot en enchérissant.

Ante Une mise obligatoire versée avant la donne.

Backdoor (hold'em et omaha) Obtenir par hasard une couleur ou une quinte par le tirage des deux dernières cartes de la carte commune.

Blind Les deux mises obligatoires versées, avant la donne, par les deux premiers joueurs placés à gauche du donneur. La première s'appelle « le blind », la seconde s'appelle « le surblind » et est deux ou trois fois plus élevée que la première. Ce sont de vraies enchères.

Brûler Retirer du jeu la première carte fermée avant de donner (pour éviter de tricher).

Carré 4 cartes de même valeur.

Cartes communes Les cartes communes à tous les joueurs (par exemple, au hold'em).

Cartes fermées Les cartes que seul le joueur voit (la première au stud, les deux premières au hold'em, les quatre premières à l'omaha).

Carte wild Une carte qui, avec l'accord de tous, représente n'importe quelle autre carte du jeu.

Décave Partie où tous les joueurs commencent avec un nombre égal de jetons et qui se termine quand l'un des joueurs a gagné tous les jetons.

Deuce Terme anglais pour désigner un 2.

Draw Tirer une ou plusieurs cartes en échange d'une ou plusieurs cartes écartées.

Enjeux de table Une partie dans laquelle les enchères des joueurs se limitent aux jetons posés devant eux (sans limite ou la limite du pot).

Faire tapis Miser tous ses jetons

Flop Les trois premières cartes de la carte commune au hold'em et à l'omaha.

Full Une main composée d'un brelan et d'une paire.

Jetons Des unités de compte de couleurs différentes, qui permettent de miser une certaine somme d'argent.

Joker Un vrai joker (par rapport à une carte wild).

Kicker (a) Une carte que l'on conserve avec une paire au draw poker : par exemple, l'as dans A-10-10.
(b) La plus basse des cartes fermées au hold'em : par exemple, le 8 dans A-8.

Limite Le nombre minimal ou maximal de jetons qu'un joueur est autorisé à miser.

Loose Un joueur qui mise en prenant des risques.

Main (a) Les 5 cartes d'un joueur.
(b) L'action comprise entre la donne et l'abattage.

Main servie (voir Stand pat) Une main dont, au draw poker, on n'écarte aucune carte.

Mise modérée Miser peu ou checker avec une bonne main pour que les autres joueurs continuent de miser et d'augmenter le pot.

Non assorties Des cartes de couleurs différentes, notamment pour décrire les 2 cartes fermées au hold'em.

Ouverture Main minimale pour pouvoir ouvrir les enchères ; une paire de valets au jackpot.

Parole Rester actif sans enchérir. On peut parfois simplement taper la table avec les doigts. On peut ensuite enchérir et relancer.

Passer Ne pas enchérir et se retirer du jeu.

Payer Recevoir l'équivalent en argent de ses jetons ; puis se retirer du jeu.

Position La place occupée par rapport au donneur, place occupée pour enchérir.

Pot Les mises placées sur la table.

Pot limit Une limite qui permet de relancer en misant au maximum le montant du pot.

Pot parallèle Un pot séparé auquel ne contribue pas le joueur qui a fait tapis.

Pot partagé Un pot réparti entre plusieurs joueurs à égalité.

Pot principal Le premier pot constitué dans le cas où il y a un pot parallèle.

Quinte 5 cartes consécutives mais non assorties.

Quinte flush 5 cartes consécutives et assorties

Quinte flush royale La main la plus haute au poker : A-R-D-V-10 assortis.

Quinte par les deux bouts 4 cartes consécutives (par exemple, 8-7-6-5) qu'une seule carte (9 ici, ou 4) permet de transformer en quinte.

Relancer Enchérir et augmenter la mise précédente.

River La cinquième et dernière carte des cartes communes au hold'em et à l'omaha.

Sans limite Une partie dont les enchères ne sont pas limitées. Voir aussi *Enjeux de table*.

Semi-bluff Miser avec une main très moyenne, mais qui peut être améliorée.

Stand pat Jouer sans écarter de cartes au draw poker.

Straddle La dernière mise obligatoire avant la donne.

Suite : Une quinte.

Suivre Enchérir avec un montant égal à la mise précédente.

Table L'ensemble des cartes de la carte commune posées, face visible, sur la table.

Tight Un joueur qui ne mise qu'avec de bonnes mains.

Tour de mises Un tour d'enchères.

Tour d'enchères Pendant une donne, les tours qui permettent aux joueurs d'enchérir, de relancer, de checker ou de passer.

Turn La quatrième carte des cartes communes au hold'em et à l'omaha. S'appelle aussi « la quatrième rue ».

Tourner Demander 1 carte supplémentaire, face visible.

Dépôt légal : octobre 2007
ISBN : 978-2-501-05498-0
40-4307-1
Édition 01
Imprimé en France par Imprimerie Hérissey - N°105942